税法学習は、税理士への真の第一歩！

　本書を手にしたみなさんの多くは、税理士試験の会計科目（簿記論、財務諸表論）の受験をされた方や無事合格された方だと思います。よくぞ、ここまで来られました！

　そして、いよいよ税法科目の学習をはじめようとされる方にあらためて伝えておきたいことがあります。それは、税理士とは「税法のプロフェッショナルであり、法律家である」ということです。

　ですから、税法の学習は税理士への真の第一歩を踏み出したことになります。

　ここからまた気を引き締めていけば、税理士試験の合格も間近です。

　さて、ネットスクールでは税理士試験を目指す方への資格支援の学校として、画期的なことを行いました。それは、本来、高額な受講料を払ってのみ手にすることのできる講座使用教材を書店やネットショップで市販することでした。

　これにより、独学者にも平等に合格を目指す機会を提供することができましたし、また、独学者が同じ教材を使用して講座学習に切り替えられるという利便性を高めることができました。

　一方で、講座使用教材を誰もが購入できるということは、講座の付加価値の希薄化を招き、さらには講座のノウハウの流出というリスクも抱えてしまうことになりかねません。

　しかしそれでも、人生を賭けてチャレンジする受験生にとってよりよい教材は生命線であり、その気持ちを想像したときに、講座使用教材を市販することについて一縷の迷いも生じることはありませんでした。

　合格するための状況は我々が整えます。

　みなさんは、この本で勇気を持って始め、本気で学んでください。

　そうすれば、みなさん自身ばかりではなく、みなさんの周りの人たちをも幸せにできる、そんな人生が開けてきます。

　さあ、この一歩、いま踏み出しましょう！

税理士WEB講座
講師一同

目次

Contents

税理士試験　理論集
国税徴収法

理論必勝法・理論暗記法

巻末付録

本書の構成・特長

本書は以下6つの特長により、効果的でムダのない理論学習が行えます。

❶ 全体を15のテーマに区分、テーマごとに枝番をつけて整理しています。

❷ 過去の出題理論ごとに1題にまとめ、タイトルを付しています。

❸ 過去の出題年度を記載し、出題頻度、出題サイクルを確認できます。

❹ 重要理論については、音声による暗記学習が可能です。（詳細は右ページ）

❺ 優先マーク ❖ を表記し、暗記の優先順位を 3 ➡ 2 ➡ 1 の数で示しています。

❻ 正確に覚えるべきキーワードや条文表現を太字にしています。

❶☞ **1-2** 税金の基礎　　　　　　　　　　　　出題年度：'23、'09、'57 ☜❸

❷☞ **時 効** 🔊　　　☜❹

1 時効（通72）❖❖　　☜❺
(1) 国税の徴収権は、その国税の法定納期限から**5年間行使しない**ことによって、**時効により消滅する**。☜❻
(2) 国税の徴収権の時効については、その援用を要せず、また、その利益を放棄することができないものとする。
(3) 国税の徴収権の時効については、別段の定めがあるものを除き、民法の規定を準用する。

2 時効の完成猶予と更新（通73①）❖❖❖
　国税の徴収権の時効は、次の処分に係る国税については、それぞれに定める期間は**完成せず**、各期間を**経過した時**から新たにその**進行を始める**。
(1) **更正又は決定**
　　その更正又は決定により納付すべき国税の**納期限までの期間**
(2) **過少申告加算税、無申告加算税又は重加算税**（申告納税方式による国税の重加算税の規定によるものに限る。）**に係る賦課決定**
　　その賦課決定により納付すべきこれらの国税の納期限までの期間
(3) **納税に関する告知**
　　その告知に指定された納付に関する期限までの期間
(4) **督促**

いつでもどこでも理論の音声学習ができる

音声学習コンテンツ『ノウン』のご案内

iOS、Android 端末対応

980円*

受験生応援価格！

* 2024 年 8 月現在

特長 1

重要理論の音声とデジタル版のWダウンロード

理論音声に加え、デジタル版も同時にダウンロードできます。ネット環境に関係なく、いつでもどこでも理論学習が可能です。移動中や外出先でもスマホやタブレットひとつで、すぐに学習を開始できます。（重要理論をピックアップしてのご提供となります。）

特長 2

ドリルモードで優先箇所から反復学習

ノウンの機能「ドリルモード」では、優先マーク (✿) の付いた規定の柱ごとに暗記を進めることができます。優先マークの多いものから繰り返し覚え込むことができます。

特長 3

暗記モードで忘れない！間違えない！

ノウンの機能「暗記モード」では、理論を1題ごとに選択し、最初から最後まで通して聞くことができます。一度覚えた理論を何度も聞き直すことで、暗記の定着を図るとともに暗記の正確性を高めることができます。

〔選択画面〕

〔ドリルモード〕

〔暗記モード〕

※ 画像は開発中のものです。

まずは1ヵ月間利用できる無料お試し版（サンプル）をお試しください！

無料お試し版は「ノウンストア」にて配布いたします。

下記のURLまたは右のQRコードで「ノウンストア」にアクセスし、サイト内の案内に従って無料お試し版をご利用下さい。

https://knoun.jp/knounclient/static/books/store.html

もっと利用したいという場合のご購入手続きについて

アプリ内での製品版をお買い求めください。簡単なご購入手続きにより、即ご利用いただけます。

詳しくは、お試し版に付属している利用案内等もご確認下さい。

アプリのダウンロード はこちらから

▼ iOS 版▼

▼ Android 版▼

※ 配信準備や審査等の都合により、販売開始までお待ち頂く場合がございます。

※ 為替相場の変動等の要因により販売価格が変更となる場合がございます。

※ アプリやデータのダウンロードに要する通信料はお客様のご負担となります。

※ 発売期間は 2025 年 8 月末日までの予定です。予めご了承ください。

※ 一度ご購入された場合、異なる端末等でも 2025 年 8 月末日までは再ダウンロードが可能です。

※ ノウンは NTT アドバンステクノロジ株式会社が提供するサービスです。

※ ノウンは NTT アドバンステクノロジ株式会社の登録商標です。

著者からのメッセージ

　本書の著者であり、WEB講座の担当講師でもある堀川洋先生から、本書を学習する前の心構えとしてメッセージがございます。本書を最大限に有効活用するためにも、まずはこのメッセージをお読みください。

プロフィール
講師　堀川　洋
1982年から国税徴収法を専門分野に受験指導をしており、現在は受験指導の傍らで税理士業務も行い、徴税現場における税理士としての実務経験を交えた講義が受講生の人気になっている。重厚な法律を分かり易く、しかも楽しくをモットーに、毎年ヤマも的中させるカリスマ講師。

◆最近の出題傾向とその対策

　国税徴収法はかつては個別事項のみが出題されていました。簡単な年度では第1問と第2問で二題の個別理論しか出題されないということもありました。しかし現在の出題は事例、応用形式の内容であり、単なる基本理論の暗記だけでは合格することは困難です。このためには基本理論の暗記を基礎に事例形式の出題に対応する学習も必要です。

　国税徴収法は法律条文が非常に少ないのが事実です。しかしその分だけ各規定について細かい内容を理解する学習が必要です。さらにこれに最近の出題傾向である応用事例問題の対応のための各条文の本質や相互関連なども学ぶ必要があります。

　したがって"簡単でボリュームの少ない科目"というイメージを持つことなく、真摯な気持ちで学習に取り組んでほしいと思います

◆理論必勝法とコラム@（あっと）ランダム

　最近における本試験の出題が応用事例問題中心といえども、やはりその基本なるのは本書に収録されている個別理論であり、これらの暗記が学習の基本です。国税徴収法はよく言われることですが、法律と密接な関係を持っており他の科目にない独特な特徴があります。したがった正しい法律の内容を理解していることはもちろんですが、更にこれをできるだけ法律条文に近い表現で答案に記述する必要があります。

　そのためにも本理論集を暗記することが前提になり、本書では、この理論暗記のノウハウを紹介していますので、正しい国税徴収法の暗記マニュアルにもなるはずです。またコラムでは徴税現場や税理士業務における国税徴収法との係りなども少々説明しています。

"講師がちゃんと教える" だから学びやすい！分かりやすい！
ネットスクールの税理士WEB講座

【開講科目】簿記論、財務諸表論、法人税法、消費税法、相続税法、国税徴収法

ネットスクールの税理士 WEB 講座の特長

◆自宅で学べる！ オンライン受講システム

臨場感のある講義をご自宅で受講できます。しかも、生配信の際には、チャットやアンケート機能を使った講師とのコミュニケーションをとりながらの授業となります。もちろん、講義は受講期間内であればお好きな時に何度でも講義を見直すことも可能です。

▲講義画面イメージ▲

★講義はダウンロード可能です★

オンデマンド配信されている講義は、お使いのスマートフォン・タブレット端末にダウンロードして受講することができます。事前に Wi-Fi 環境のある場所でダウンロードしておけば、通信料や通信速度を気にせず、外出先のスキマ時間の学習も可能です。
※講義をダウンロードできるのはスマートフォン・タブレット端末のみです。
※一度ダウンロードした講義の保存期間は１か月間ですが、受講期間内であれば、再度ダウンロードして頂くことは可能です。

ネットスクール税理士 WEB 講座の満足度

◆受講生からも高い評価をいただいております

WEB講座 79.5%

▶ Zoom 面談は、孤独な自宅学習の励みになりましたし、試験直前にお電話をいただいたときは本当に感動しました。（消費／上級コース）
▶合格できた要因は、質問を 24 時間受け付けている「学び舎」を積極的に利用したことだと思います。（簿財／上級コース）
▶質問事項や添削のレスポンスも早く対応して下さり、大変感謝しております。（相続／上級コース）
▶講義が１コマ 30 分程度と短かったので、空き時間等を利用して自分のペースで効率よく学習を進めることができました。（国徴／標準コース）

教材 82.3%

▶理論教材のミニテストと「つながる会計理論」のおかげで、今まで理解が難しかった論点が頭の中でつながった瞬間は感動しました。（財表／標準コース）
▶テキストが読みやすく、側注による補足説明があって理解しやすかったです。（全科目共通）

講師 78.2%

▶財務諸表論の穂坂先生の理論講義がとてもわかり易く良かったです。（簿財／上級コース）
▶先生方の学習面はもちろん精神的にもきめ細かいサポートのおかげで試験を乗り越えることができました。（法人／上級コース）
▶堀川先生の授業はとても面白いです。印象に残るお話をからめて授業を進めて下さるので、記憶に残りやすいです。（国徴／標準コース）
▶田中先生の熱意に引っ張られて、ここまで努力できました。（法人／標準コース）

※ 2019 ～ 2023 年度試験向け税理士 WEB 講座受講生アンケート結果より

各項目について５段階評価
不満 ◀ 1 2 3 4 5 ▶ 満足

凡例（略式名称……正式名称）

徴……国税徴収法	徴令……国税徴収法施行令	徴規……国税徴収法施行規則
通……国税通則法	通令……国税通則施行令	通規……国税通則施行規則

引用例

　徴令53③二イ……国税徴収法施行令第58条第③項第二号イ

（注）　本書は令和6年（2024年）4月1日現在施行されている法令等に基づき作成しています。

TAX ACCOUNTANT

税理士試験
理論集

国税徴収法

2025
年度版

Ⓢネットスクール出版

1-1 税金の基礎

国税通則法の目的・期間及び期限

1 国税通則法の目的（通1）✤

国税通則法は、国税についての**基本的な事項**及び**共通的な事項**を定め、税法の**体系的な構成を整備**し、かつ、国税に関する**法律関係を明確**にするとともに、税務行政の公正な運営を図り、もって国民の納税義務の適正かつ円滑な履行に資することを目的とする。

2 期間（通10①）✤

国税に関する法律において日、月又は年をもって定める期間の計算は、次に定めるところによる。

(1) 初日不算入と初日算入

期間の**初日**は、**算入しない**。ただし、その期間が午前零時から始まるとき、又は国税に関する法律に別段の定めがあるときは、この限りでない。

(2) 暦による計算

期間を定めるのに**月**又は**年**をもってしたときは、**暦**に従う。

このとき、月又は年の始めから期間を起算しないときは、その期間は、最後の月又は年においてその起算日に応当する日の前日に満了する。ただし、最後の月にその応当する日がないときは、その月の末日に満了する。

3 期限（通10②）✤

国税に関する法律に定める申告、申請、請求、届出その他書類の提出、通知、納付又は徴収に関する**期限**（時をもって定める期限等を除く。）が日曜日、国民の祝日に関する法律に規定する**休日**その他一般の休日又は一定の日に当たるときは、**これらの日の翌日**をもってその**期限**とみなす。

時 効 🔊

1　時効（通72）❖❖

⑴　国税の徴収権は、その国税の法定納期限から**5年間行使しない**ことによって、**時効により消滅**する。

⑵　国税の徴収権の時効については、その援用を要せず、また、その利益を放棄することができないものとする。

⑶　国税の徴収権の時効については、別段の定めがあるものを除き、民法の規定を準用する。

2　時効の完成猶予と更新（通73①）❖❖❖

　国税の徴収権の時効は、次の処分に係る国税については、それぞれに定める期間は完成せず、各期間を**経過した時**から新たにその**進行を始める**。

⑴　**更正又は決定**
　　その更正又は決定により納付すべき国税の**納期限までの期間**

⑵　**過少申告加算税、無申告加算税又は重加算税**（申告納税方式による国税の重加算税の規定によるものに限る。）**に係る賦課決定**
　　その賦課決定により納付すべきこれらの国税の納期限までの期間

⑶　**納税に関する告知**
　　その告知に指定された納付に関する期限までの期間

⑷　**督促**
　　督促状又は督促のための納付催告書を**発した日から起算して10日を経過した日**（同日前に繰上差押により差押えがされた場合には、そのされた日）までの期間

⑸　**交付要求**
　　その**交付要求がされている期間**（交付要求の通知がされていない期間があるときは、その期間を除く。）
　　なお、交付要求により時効が完成猶予及び更新とした場合には、その交付要求に係る強制換価手続が取り消されたときにおいても、時効の完成猶予及び更新の効力は、失われない。

3　時効の不進行　（通73③④）❖❖❖

(1) 国税の徴収権で、偽りその他不正によりその全部若しくは一部の税額を免れ、若しくはその全部若しくは一部の税額の還付を受けた国税又は国外転出等の特例の適用がある場合の所得税に係るものの時効は、その国税の法定納期限から2年間は、進行しない。

(2) 国税の徴収権の時効は、延納、納税の猶予又は徴収若しくは滞納処分に関する猶予に係る部分の国税(その部分の国税に併せて納付すべき延滞税及び利子税を含む。)につき、その延納又は猶予がされている期間内は、進行しない。

＜理論必勝法①＞
～暗記理論の選別～

　この理論集には多くの理論が収録されています。これは国税徴収法の全学習範囲に関するものを掲載しているからです。もちろんこれらを全部暗記するわけではありません。過去に実施された税理士試験から概ね出題される問題の範囲は限られています。これを前提にして重要であり暗記すべき理論は約47題と考えてください。

　この理論集には問題タイトルの脇に 🔊 が付されていますから、この問題を中心に暗記をすることになります。またこの47題の重要性を考える際に、近年10年間において税理士試験に実際に出題されている問題が巻末に収録してありますから、これらも参考にすると良いでしょう。

　まずどの理論を暗記するのかを明確にしておいてから、法律の内容を詳細に学習してその手続きを理解し、これをこの理論集で暗記することになります。

出題年度：なし

Ch 1
Ch 2
Ch 3
Ch 4
Ch 5
Ch 6
Ch 7
Ch 8
Ch 9
Ch 10
Ch 11
Ch 12
Ch 13
Ch 14
Ch 15

2-1　税金のスケジュール

申 告

1　納税義務の成立及びその納付すべき税額の確定（通15）✤

(1)　納税義務が成立する場合には、その成立と同時に特別の手続を要しないで納付すべき税額が確定する国税を除き、国税に関する法律の定める手続により、その国税についての納付すべき税額が確定されるものとする。

(2)　納税義務は、次に掲げる国税（附帯税を除く。）については、それぞれに定める時に成立する。

① 　所得税（②を除く。）…暦年の終了の時

② 　源泉徴収所得税 　…利子、配当、給与等源泉徴収をすべきものとされている所得の支払の時

③ 　法人税等 　…事業年度の終了の時

④ 　相続税 　…相続又は遺贈（死因贈与を含む。）による財産の取得の時

⑤ 　贈与税 　…贈与（死因贈与を除く。）による財産の取得の時

⑥ 　消費税等 　…課税資産の譲渡等若しくは特定課税仕入れをした時又は課税物件の製造場からの移出若しくは保税地域からの引取りの時

⑦ 　その他国税 　…それぞれ一定の時

(3)　納税義務の成立と同時に特別の手続を要しないで納付すべき税額が確定する国税は、次に掲げる国税とする。

① 　予定納税に係る所得税

② 　源泉徴収による国税

③ 　延滞税及び利子税

④ 　その他一定のもの

2　申告の種類（通17〜通19）✤

(1)　期限内申告（通17）

申告納税方式による国税の納税者は、納税申告書を法定申告期限までに税務署長に提出しなければならない。

(2) **期限後申告**（通18）

　期限内申告書を提出すべきであった者は、その提出期限後においても、決定があるまでは、納税申告書を税務署長に提出することができる。

(3) **修正申告**（通19）

① 　納税申告書を提出した者は、先の納税申告書の提出により納付すべきものとしてこれに記載した税額に不足額があるとき等に該当する場合には、その申告について更正があるまでは、その申告に係る課税標準等又は税額等を修正する納税申告書を税務署長に提出することができる。

② 　更正又は決定を受けた者は、その更正又は決定により納付すべきものとしてその更正又は決定に係る更正通知書又は決定通知書に記載された税額に不足額があるときその他一定の場合には、その更正又は決定について更正があるまでは、その更正又は決定に係る課税標準等又は税額等を修正する納税申告書を税務署長に提出することができる。

(4) **更正**（通24）

　税務署長は、納税申告書の提出があった場合において、その納税申告書に記載された課税標準等又は税額等の計算が国税に関する法律の規定に従っていなかったとき、その他その課税標準等又は税額等がその調査したところと異なるときは、その調査により、その申告書に係る課税標準等又は税額等を更正する。

(5) **決定**（通25）

　税務署長は、納税申告書を提出する義務があると認められる者がその申告書を提出しなかった場合には、その調査により、その申告書に係る課税標準等及び税額等を決定する。ただし、決定により納付すべき税額及び還付金の額に相当する税額が生じないときは、この限りでない。

2-2　税金のスケジュール

納期限と法定納期限

1　申告納税方式による国税等の納付（通35）♣

⑴　**期限内申告書**を提出した者は、国税に関する法律に定めるところにより、その申告書の提出により納付すべきものとしてこれに記載した税額に相当する国税をその**法定納期限**までに国に納付しなければならない。

⑵　次に掲げる金額に相当する国税の納税者は、その国税をそれぞれに掲げる日までに国に納付しなければならない。

①　**期限後申告書**の提出により納付すべきものとしてこれに記載した税額又は**修正申告書**に記載した修正申告により納付すべき税額

　…その**期限後申告書**又は**修正申告書**を提出した日

②　**更正通知書**又は**決定通知書**に記載された納付すべき税額

　…その更正通知書又は決定通知書が**発せられた日の翌日**から起算して**1月を経過する日**

③　過少申告加算税、無申告加算税又は重加算税（申告納税方式による国税の重加算税に限る。）に係る**賦課決定通知書**を受けた者は、その通知書に記載された金額の過少申告加算税、無申告加算税又は重加算税をその通知書が**発せられた日の翌日から起算して1月を経過する日**までに納付しなければならない。

2　法定納期限（徴2十）♣

　法定納期限とは、国税に関する法律の規定により**国税を納付すべき期限（次に掲げる国税については、それぞれ次に定める期限又は日）**をいう。この場合において、繰上請求に規定する繰上げに係る期限及び所得税法等の規定による延納、納税の猶予又は徴収若しくは滞納処分に関する猶予に係る期限は、その国税を納付すべき期限に含まれないものとする。

⑴　期限後申告等により納付すべき国税

　…その国税の額をその国税に係る期限内申告書に記載された納付すべき税額とみなして国税に関する法律の規定を適用した場合におけるその**国税を納付すべき期限**

(2) 国税に関する法律の規定により国税を納付すべき期限とされている日後に納税の告知がされた国税（下記 (3) 又は (4) に該当するものを除く。）

　　…その期限

(3) 国税に関する法律の規定により一定の事実が生じた場合に直ちに徴収するものとされている賦課課税方式による国税

　　…その事実が生じた日

(4) 附帯税又は滞納処分費

　　…その納付又は徴収の基因となる国税を納付すべき期限

＜理論必勝法②＞
～理論暗記のノウハウ～

税理士試験における理論暗記は鬼門かもしれません。この理論暗記のことを知って税理士試験の受験を諦める者も少なからずいることも事実です。しかし受験を志したからには、この理論暗記は避けて通れません。

さて理論暗記はどのようにするのでしょう。これには法律条文暗記のノウハウがあります。これは暗記文を短く文節に区切り、これを冒頭から何度も口頭で復唱して段階的に頭に入れていきます。たとえば本問「2-2 納期限と法定納期限」であれば次のよう暗記します。

1．申告納税方式による国税等の納付

(1) 期限内申告書を提出した者は、／国税に関する法律の定めるところにより、／ その申告書の提出により納付すべきものとして ／ これに記載した税額に相当する国税を ／ その法定納期限までに ／ 国に納付しなければならない。

まず最初の文節を暗記して、さらに次の文節を暗記しています。これを前の文節とつなげて復唱し、さらに次の文節暗記して、それにつなげていきます。この文節は「／」は「、」ではありません。自分で適当な長さに区切った復唱しやすい個所と考えてください。

暗記する文章を細かく文節に区切って復唱しながら頭に入れ、これをどんどん連結していき最後までを暗記するというのが暗記のノウハウということになります。

2-3 税金のスケジュール

納付の方法

1 納付の方法（通34、34の2）❖

(1) 金銭納付（通34）

国税を納付しようとする者は、その税額に相当する**金銭**に納付書（納税告知書の送達を受けた場合には、納税告知書）を添えて、これを日本銀行等に納付しなければならない。

(2) 有価証券納付（通34ただし書）

上記(1)にかえて、一定の**小切手その他の証券**等で納付することを妨げない。

(3) 印紙納付

印紙で納付すべきものとされている国税は、その税額に相当する印紙をはることにより納付するものとする。

(4) 物納

物納の許可があった国税は、(1)の規定にかかわらず、物納をすることができる。

(5) 口座振替納付（通34の2）

税務署長は、納税者が、金融機関の口座から国税を納付しようとする場合に、その納付に必要な納付書のその金融機関への送付の依頼があった場合には、その納付が確実と認められ、かつ、その依頼を受けることが国税の徴収上有利と認められるときに限り、その依頼を受けることができる。

(6) 電子納税

電子納税では、国税の納付手続きを自宅などから電子的に行うことができる。

2 連帯納付義務（通8、9、9の2、民432、434）❖

(1) 国税の連帯納付義務についての民法の準用

国税に関する法律の規定により国税を連帯して納付する義務については、民法（連帯債務の効力等）の規定を準用する。

① 数人が連帯債務を負担するときは、債権者は、その連帯債務者の一人に対し、又は同時に若しくは順次にすべての連帯債務者に対し、全部又は一部の履行を請求することができる。

② 連帯債務者の一人に対する履行の請求は、他の連帯債務者に対しても、その効力を生ずる。

③　連帯債務者の一人のために時効が完成したときは、その連帯債務者の負担部分については、他の連帯債務者も、その義務を免れる。

(2)　共有物等に係る国税の連帯納付義務

　　共有物、共同事業又はその事業に属する財産に係る国税は、その納税者が連帯納付義務を負う。

(3)　法人の分割に係る連帯納付義務

　　法人が分割をした場合には、分割承継法人は、その分割をした法人の分割の日前に納税義務の成立した国税で一定のものについて、連帯納付義務を負う。ただし、その分割法人から承継した財産の価額を限度とする。

3　　第三者納付（通41） ♣♣

(1)　国税は、これを納付すべき者のために第三者が納付することができる。

(2)　国税の納付について正当な利益を有する第三者又は国税を納付すべき者の同意を得た第三者が国税を納付すべき者に代わってこれを納付した場合において、その国税を担保するため抵当権が設定されているときは、これらの者は、その納付により、その抵当権につき国に代位することができる。

　　ただし、その抵当権が根抵当である場合において、その担保すべき元本の確定前に納付があったときは、この限りでない。

(3)　(2)の場合において、第三者が国税の一部を納付したときは、その残余の国税は、代位に係る第三者の債権に先だって徴収する。

<コラム@ランダム>
～身近にある滞納事案～

　経理実務の経験が無く国税徴収法を勉強していると、国税の滞納というのは特殊案件のような気がします。さらに滞納者といえば納税義務を履行していない特異な存在のような印象すらあります。しかし経理実務の世界では滞納は日常茶飯事に発生します。つまりけっして特殊な事案ではないということです。

　これは経営に関する資金繰りのことを考えれば当然です。今月末に納付しなければならない税金よりも従業員の給料の支払いや借入金の返済また手形決済の方がはるかに重要です。これらが遅延すれば会社は倒産する危険性もあります。そう考えれば税金よりも切迫した支払の方に資金が回ってしまうのはやむを得ないことになります。

　どうでしょうか、こんな時こそ国税徴収法の知識が役立つことになります。クライアントの滞納を税理士としてどうやって解決するのか。まさにこのために国税徴収法を学習していると考えてください。

3-1 国税の滞納

国税徴収法の目的と特色

1 国税徴収法の目的（徴1）❖❖

　この法律は、国税の**滞納処分**その他の徴収に関する手続の執行について**必要な事項**を定め、**私法秩序との調整**を図りつつ、国民の**納税義務の適正な実現**を通じて**国税収入を確保**することを目的とする。

2 国税優先の原則（徴8）❖❖

　国税は、納税者の**総財産**について、国税徴収法に別段の定めがある場合を除き、**すべての公課その他の債権**に先だって徴収する。

<＜理論必勝法③＞
～暗記の前に規定の本質を理解する～>

　国税徴収法の理論暗記に限りませんが、暗記を短時間でかつ完全にするためには、暗記する前に、その内容を正確に理解する必要があります。

　「門前の小僧習わぬ経を読む。」という諺がありますが、国税徴収法の理論暗記はこれでは困ります。まず暗記する前に条文やテキストをよく調べその内容や意味を理解して、それから暗記作業に取組むということです。こうすることにより理論暗記が短時間で楽にできるようになります。また暗記した理論もなかなか忘れなかったり、再度暗記するときにもすぐに頭に入ってきます。

　急いで暗記したい受験生の気持ちも分かりますが、まずは法律の基本的な内容を理解することが暗記の重要な準備だということです。

3-2 国税の滞納

国税徴収の当事者

1 国税の徴収の所轄庁 （通43） ✤

　国税の徴収は、その徴収に係る処分の際におけるその国税の納税地を所轄する税務署長が行う。

2 納税者及び滞納者 （徴2） ✤

(1) 納税者 （徴2六、七、八）

① 納税義務者

　　納税義務者とは、国税に関する法律の規定により、国税を納める義務がある者及び源泉徴収義務者である。

② 第二次納税義務者

　　第二次納税義務者とは、第二次納税義務の規定により納税者の国税を納付する義務を負う者である。

③ 保証人

　　保証人とは、国税に関する法律の規定により、納税者の国税の納付について保証した者をいう。

④ 納税義務の承継者

　　納税義務の承継者とは、相続、法人の合併、信託における受託者の変更等により納付義務を承継した者である。

(2) 滞納者 （徴2九）

　滞納者とは、**納税者**で、その納付すべき**国税**をその**納付の期限**までに**納付しない**ものをいう。

出題年度：なし

Ch 1
Ch 2
Ch 3
Ch 4
Ch 5
Ch 6
Ch 7
Ch 8
Ch 9
Ch 10
Ch 11
Ch 12
Ch 13
Ch 14
Ch 15

3-3 国税の滞納

督 促

1 督促の要件（徴47①一、通37①）❖❖❖

(1) 原則

① 納税者がその国税を**納期限**までに**完納しない場合**には、税務署長は、原則としてその納税者に対し、**督促状**によりその納付を督促しなければならない。

なお、督促状は原則として、その**国税の納期限から50日以内**に発するものとする。

② 滞納者が督促を受け、その督促に係る国税をその**督促状を発した日から起算して10日を経過した日まで**に完納しないときは、徴収職員は、滞納者の国税につきその財産を差し押えなければならない。

③ 第二次納税義務者又は保証人については、上記②の「督促状」は、「**納付催告書**」として適用する。

(2) 例外（繰上差押）

国税の**納期限後督促状を発した日から起算して10日を経過した日まで**に、督促を受けた滞納者につき**繰上請求に該当する事実**が生じたときは、徴収職員は、**直ちに**その財産を**差し押える**ことができる。

2 督促を要しない国税の差押（徴47①二）❖❖❖

納税者が次に掲げる国税をその納期限までに完納しないときは、徴収職員は、滞納者の国税につきその財産を差し押えなければならない。

(1) 繰上請求に係る国税

(2) 繰上保全差押又は保全差押に係る国税

(3) 国税に関する法律の規定により一定の事実が生じた場合に直ちに徴収する国税

3 時効の完成猶予と更新（通73①四）❖❖

国税の徴収権の時効は、督促状を発した日から起算して10日を経過した日までの期間は完成せず、その**期間を経過した時**から新たに進行を始める。

通常の納税の猶予・確定手続遅延の納税の猶予

1 通常の納税の猶予の要件と猶予期間（通46②⑤、通令15①）❖❖❖

(1) 要件

　税務署長等は、次のすべての要件に該当するときは、国税のうちその納付することができないと認められる金額を限度として、納税者の申請に基づき、その納税を猶予することができる。

① 納税者が「災害による納税の猶予（通46①）」の適用を受けていないこと

② 納税者に次のいずれかの事実が生じており、納税者がその国税を一時に納付することができないこと

　イ　納税者がその**財産**につき、震災、風水害、落雷、火災その他の災害を受け、又は**盗難**にかかったこと

　ロ　**納税者又はその者と生計を一にする親族**が病気にかかり、又は負傷したこと

　ハ　納税者がその**事業を廃止**し、又は**休止**したこと

　ニ　納税者がその事業につき**著しい損失**を受けたこと

　ホ　上記イからニに該当する事実に類する事実があったこと

③ 税務署長等が担保の徴収を必要と認めた場合に、**担保の提供があった**こと

(2) 猶予期間

　猶予される期間は、**原則1年以内**である。

(3) 申請

　納税の猶予を受けようとする者は、一定の事項を記載した申請書を税務署長等に提出しなければならない。

2 確定手続等が遅延した場合の納税の猶予の要件と猶予期間（通46③⑤、通令15①）❖❖❖

(1) 要件

　税務署長等は、**次のすべての要件に該当するときは、次の①に定める税額に相当する国税のうちその納付することができないと認められる金額を限度として、納税者の申請に基づき、その納税を猶予することができる。

① 次に掲げる国税（延納に係る国税を除く。）であること

　イ　**申告納税方式**による国税　（その附帯税を含む。）

　　その**法定申告期限から一年を経過した日以後に納付すべき税額が確定した場合**におけるその確定した部分の税額

ロ　賦課課税方式による国税（その延滞税を含み、加算税及び過怠税を除く。）

その課税標準申告書の提出期限（申告書の提出を要しない国税については、その納税義務の成立の日）から一年を経過した日以後に納付すべき税額が確定した場合におけるその確定した部分の税額

ハ　源泉徴収等による国税（その附帯税を含む。）

その法定納期限から一年を経過した日以後に納税告知書の送達があった場合におけるその告知書に記載された納付すべき税額

②　上記①の国税を一時に納付することができない理由があると認められること

③　税務署長等が担保の徴収を必要と認めた場合に、納税者から担保の提供があったこと

(2) 猶予期間

猶予される期間は、原則としてその猶予に係る国税の納期限から1年以内である。

(3) 申請

納税の猶予を受けようとする者は、その国税の納期限内に一定の事項を記載した申請書を税務署長等に提出しなければならない。

ただし、税務署長等においてやむを得ない理由があると認める場合には、その国税の納期限後にされた申請を含む。

3　分割納付（通46④⑧⑨）✿

(1) 分割納付（通46④⑧）

税務署長等は、納税の猶予をする場合には、その猶予に係る国税の納付については、その猶予をする期間内において、その猶予に係る金額をその者の財産の状況その他の事情からみて合理的かつ妥当なものに分割して納付させることができる。

この場合においては、分割納付の各納付期限及び各納付期限ごとの納付金額を定めるものとする。

また、分割納付は、税務署長等が、納税の猶予をした期間を延長する場合について準用する。

(2) 分割納付の変更（通46⑨）

税務署長等は、その猶予に係る金額を分割して納付させる場合において、納税者が通知された分割納付の各納付期限ごとの納付金額をその納付期限までに納付することができないことにつきやむを得ない理由があると認めるとき又は猶予期間を短縮したときは、その分割納付の各納付期限及び各納付期限ごとの納付金額を変更することができる。

4 担保の徴取 （通46⑤⑥、55④） ✣✣✣

(1) 担保の徴取 （通46⑤）

　税務署長等は、納税の猶予をする場合には、次の場合を除き、その猶予に係る金額に相当する**担保を徴さ**なければならない。

① その猶予に係る**税額**が**100万円以下**である場合

② その猶予の**期間**が**3月以内**である場合

③ 担保を徴することができない**特別の事情がある**場合

⑵ 担保の徴取と差押 （通46⑥、55④）

① 税務署長等は、その猶予に係る国税につき差し押えた財産があるときは、その担保の額は、その猶予をする金額から差押財産の価額を控除した額を限度とする。

② 納付委託があった場合において、担保の提供の必要がないと認められるに至ったときは、その認められる限度においてその担保の提供があったものとすることができる。

5 猶予期間の延長 （通46⑦） ✣✣

　税務署長等は、猶予期間内にその猶予をした金額を納付することができない**やむを得ない理由がある**と認めるときは、納税者の**申請に基づき**、その期間を**延長する**ことができる。

　ただし、その期間は、すでに**猶予をした期間**とあわせて**2年**を超えることができない。

6 通知 （通47） ✣✣

　税務署長等は、**納税の猶予**をしたとき、又はその**猶予の期間の延長**をしたときは、その旨を**納税者に通知**しなければならない。

　また、納税の猶予を認めないとき、猶予の延長を認めないときも、その旨を納税者に通知しなければならない。

出題年度：'24、'17、'12、'05　他7回

Ch 1
Ch 2
Ch 3
Ch 4
Ch 5
Ch 6
Ch 7
Ch 8
Ch 9
Ch 10
Ch 11
Ch 12
Ch 13
Ch 14
Ch 15

4-2　国税の猶予

災害等に基づく納税の猶予

1　災害等による期限の延長（通11）❖

　税務署長等は、災害その他やむを得ない理由により、国税に関する法律に基づく申告等の期限までにこれらの行為をすることができないと認めるときは、その理由のやんだ日から2月以内に限り、その期限を延長することができる。

2　災害による納期限未到来の納税の猶予（通46①、通令13、14、15）❖❖❖

(1)　要件

　税務署長等は次のすべての要件に該当するときは、納期限から1年以内に限り、猶予の対象となる国税の全部又は一部の納税を猶予することができる。

①　震災、風水害、落雷、火災その他これらに類する災害により納税者がその財産につき相当な損失を受けたこと

②　上記①の災害のやんだ日から2月以内に納税者から納税の猶予の申請がされたこと

(2)　猶予の対象となる国税

　上記1の要件を満たすことにより猶予される国税は、その納税者がその損失を受けた日以後1年以内に納付すべき国税で、次に掲げるものとする。

①　課税資産の譲渡等に係る消費税以外の国税

　その災害のやんだ日（源泉徴収による国税その他一定の国税についてはその災害のやんだ日の属する月の末日）以前に納税義務の成立した国税（消費税等を除く。）で、納期限がその損失を受けた日以後に到来するもののうち、その申請の日以前に納付すべき税額の確定したもの

②　課税資産の譲渡等に係る消費税

　その災害のやんだ日以前に課税期間が経過した課税資産の譲渡等に係る消費税で、その納期限がその損失を受けた日以後に到来するもののうち、その申請の日以前に納付すべき税額の確定したもの

③　予定納税

　予定納税に係る所得税、中間申告の法人税、地方法人税及び消費税で、その納期限がその損失を受けた日以後に到来するもの

(3)　猶予期間（通46①、通令13）

　　猶予期間は、猶予された国税の**納期限から１年以内の期間**（上記(2)③に掲げる国税については、**確定申告期限**までの期間）に限られる。

(4)　申請手続（**通46①、通令15①**）

　　納税の猶予を受けようとする者は、その**災害のやんだ日から２月以内**に一定の事項を記載した申請書を税務署長等に提出しなければならない。

4-3 国税の猶予

納税の猶予の申請手続等

1 納税の猶予の申請手続等（通46の2①②③⑤）✤

　納税の猶予の申請をしようとする者は、次の事項を記載した**申請書に書類を添付**し、これを**税務署長等に提出**しなければならない。

(1) **災害等による納税の猶予**

① 記載事項

　イ　災害によりその者がその財産につき**相当な損失を受けたこと**の事実の詳細

　ロ　猶予を受けようとする**金額及びその期間**

　ハ　その他の一定の事項

② 添付書類

　その**事実を証する**に足りる**書類**

　ただし、その申請者が添付すべき書類を提出することが困難であると税務署長等が認めるときは、添付することを要しない。

(2) **通常の納税の猶予**（通46の2②）

① 記載事項

　イ　**災害等、病気等、事業の休廃止、事業の著しい損失等の事実があること**

　ロ　**イの事実に基づきその国税を一時に納付することができない事情**の詳細

　ハ　猶予を受けようとする**金額**及び**期間**

　ニ　**分割納付の方法**により納付を**行うかどうか**（分割納付の方法により納付を行う場合にあっては、分割納付の各納付期限及び各納付期限ごとの納付金額を含む。）

　ホ　その他の一定の事項

② 添付書類

　イ　その**事実を証する**に足りる**書類**

　ロ　**財産目録**

　ハ　**担保の提供**に関する書類

　ニ　その他一定の書類

　ただし、その申請者が添付すべき書類を提出することが困難であると税務署長等が認めるときは、添付することを要しない。

(3) 確定手続等が遅延した場合の納税の猶予（通46の2③）

① 記載事項

イ　確定手続が遅延した税額に相当する国税を一時に納付することができない事情の詳細

ロ　猶予を受けようとする金額及び期間

ハ　分割納付の方法により納付を行うかどうか（分割納付の方法により納付を行う場合にあっては、分割納付の各納付期限及び各納付期限ごとの納付金額を含む。）

ニ　その他の一定の事項

② 添付書類

イ　財産目録

ロ　担保の提供に関する書類

ハ　その他一定の書類

2 猶予期間の延長の申請手続等（通46の2④）❖

上記1(2)、(3)の納税の猶予について猶予期間の延長を申請しようとする者は、次の事項を記載した申請書に書類を添付し、これを税務署長等に提出しなければならない。

(1) 記載事項

① 猶予期間内にその猶予を受けた金額を納付することができないやむを得ない理由

② 猶予期間の延長を受けようとする期間

③ 分割納付の方法により納付を行うかどうか（分割納付の方法により納付を行う場合にあっては、分割納付の各納付期限及び各納付期限ごとの納付金額を含む。）

④ その他の一定の事項

(2) 添付書類

① 財産目録

② 担保の提供に関する書類

③ その他一定の書類

3 申請書等の訂正（通46の2⑨）❖

申請書の訂正又は添付書類の訂正若しくは提出を求められたその申請者は、その通知を受けた日の翌日から起算して20日以内にその申請書の訂正又はその添付書類の訂正若しくは提出をしなければならない。

この場合において、その期間内に**申請書の訂正**又は**添付書類の訂正・提出**をしなかったときは、その申請者は、その期間を経過した日においてその**申請を取り下げたもの**とみなす。

| 4 | 申請があった場合の措置（通46の2⑥⑦⑧⑩⑪⑫⑬） ❖ |

(1) 調査（通46の2⑥）

　税務署長等は、納税の猶予若しくはその猶予期間の延長の**申請書の提出**があった場合には、その申請に係る事項について**調査**を行い、**納税の猶予若しくはその猶予期間の延長**をし、又はその納税の猶予若しくはその猶予の延長を**認めないものとする**。

(2) 不備がある場合等（通46の2⑦⑧）

　税務署長等は、納税の猶予若しくはその猶予期間の延長の申請書の提出があった場合において、これらの申請書についてその**記載に不備があるとき**又はこれらの申請書の**添付書類**についてその記載に**不備があるとき**若しくはその**提出がないとき**は、その申請者に対してその**申請書の訂正**又はその**添付書類の訂正・提出**を求めることができる。

　この場合においては、その旨及びその理由を記載した書面により、その**申請者に通知**する。

(3) 認めない場合（通46の2⑩）

　税務署長等は、納税の猶予若しくはその猶予期間の延長の**申請書の提出**があった場合において、その申請者について納税の猶予若しくはその猶予期間の延長の**要件に該当している**と認められるときであっても、次のいずれかに該当するときは、納税の猶予又はその猶予の延長を**認めないことができる**。

① 繰上請求の事実があることによる**納税の猶予の取消し**に該当するとき。

② 申請者が、**質問に対して答弁せず**、又は**検査を拒み、妨げ**、若しくは**忌避した**とき。

③ **不当な目的**で納税の猶予又はその猶予の期間の延長の**申請がされたとき**、その他その**申請が誠実にされたものでないとき**。

(4) 質問検査（通46の2⑪）

　税務署長等は、調査をするため必要があると認めるときは、その必要な限度で、その職員に、その申請者に**質問させ**、又はその者の**帳簿書類**その他の物件を**検査させる**ことができる。

(5) 身分証明書の提示等（通46の2⑫）

① 質問又は検査を行う職員は、その**身分証明書を携帯**し、関係者の**請求があった**
ときは、これを提示しなければならない。

② ①の権限は、**犯罪捜査のために認められたもの**と解してはならない。

(6) 通知（通47）

税務署長等は、**納税の猶予**をし、**猶予期間を延長したとき又はこれらを認めない**
ときは、その旨その他必要な事項を**納税者に通知**しなければならない。

<＜理論必勝法④＞
～復唱による暗記が基本～

　皆さんは小学生の時に算数の「九九」はどのようにして暗記しましたか。おそらく掛けられる数字ごとに2の段、3の段と復唱して暗記したはずです。また漢字の学習は、練習帳に実際に文字を書いて覚えた記憶があるのではないでしょうか。また中学生になり歴史などはテキストにマーカーを入れて何度も読み返して視覚的に重要語句を覚えたかもしれません。同じ頭に入れる作業でも、その内容により復唱する、記述する、視覚で記憶するというようにベストな方法があります。

　税理士試験の理論暗記は復唱により暗記するのが王道です。決して同じことを何度も記述したり、理論集にマーカーを引いたりして暗記したりしないようにしてください。

　時間があればいつでもどこでも暗記する理論をブツブツと復唱するという習慣を身に付けましょう。これはいつでもどこでも行うことができる学習であり、暗記のためにはとても重要が学習方法だということです。>

4-4 国税の猶予

納税の猶予の効果・取消

1　納税の猶予の効果 ✣✣

(1)　督促、滞納処分の制限（通48①）

　　税務署長等は、納税の猶予をしたときは、その**猶予期間内**は、その猶予に係る金額に相当する国税につき、**新たに督促及び滞納処分**（交付要求を除く。）**をする**ことができない。

(2)　差押の解除（通48②）

　　税務署長等は、納税の猶予をした場合において、その猶予に係る国税につき既に滞納処分により**差し押さえた財産がある**ときは、その猶予を受けた者の**申請に基づ**き、その差押えを**解除することができる**。

(3)　天然果実等の換価又は充当（通48③、④）

　　税務署長等は、納税の猶予をした場合において、その猶予に係る国税につき差し押さえた財産のうちに**天然果実を生ずるもの**又は**有価証券、債権**若しくは**無体財産権等**があるときは、上記(1)にかかわらず、次のように取り扱う。

① 取得し又は給付を受けた財産で**金銭以外の財産**については、滞納処分を執行し、換価代金等をその猶予に係る**国税に充てることができる**。

② 給付を受けた財産が**金銭**であるときは、その金銭を直ちにその**猶予に係る国税に充てる**ことができる。

(4)　延滞税の免除（通63①、③）

① 災害等による納税の猶予又は事業の廃止等による納税の猶予をした場合には、その猶予をした国税に係る延滞税のうち、それぞれ次の金額を免除する。

　イ　災害等による納税の猶予

　　　その**猶予期間に対応する部分の金額**に相当する金額

　ロ　事業の廃止等による納税の猶予（その国税の納期限の翌日から2月を経過する日後の期間に限る）

　　　その猶予をした期間に対応する部分の金額の**2分の1**に相当する金額

② 上記①により**免除されなかった延滞税**についても、一定の要件が認められる場合は、税務署長等は、その納付が困難と認められるものを限度として、**免除する**ことができる。

(5) 時効の不進行（通73④）

　　納税者から納税の猶予の申請があった場合には、その申請に係る国税の**徴収権の消滅時効は中断**し、その**猶予期間内**は、時効は**進行しない**。

(6) 納付委託（通55①）

　　納税者が納税の猶予に係る国税を納付するため、一定の有価証券を提供して、その取立てとその取立てた金銭によるその国税の納付を委託しようとする場合において、一定の要件に該当するときは、税務署等の職員は、その委託を受けることができる。

2　納税の猶予の取消（通49）❖

(1) 取消事由（通49①）

　　納税の猶予を受けた者が**次のいずれかに該当する場合**には、**税務署長等**は、その**猶予を取り消し**、又は**猶予期間を短縮**することができる。

　　なお、②、④については、税務署長等が**やむを得ない理由がある**と認めるときを除く。

①　**繰上請求のいずれかに該当する事実がある場合**に、その者がその猶予に係る国税を**猶予期間内に完納することができない**と認められるとき

②　**分割納付**の各納付期限ごとの納付金額をその**納付期限までに納付しない**とき

③　その猶予に係る国税につき提供された担保について、税務署長等がした**担保の変更等の命令**に応じないとき

④　新たにその猶予に係る国税**以外の国税を滞納した**とき

⑤　**偽りその他不正な手段**によりその猶予又はその猶予の期間の延長の**申請がされ**、その申請に基づきその**猶予**をし、又はその**猶予期間の延長をした**ことが判明したとき

⑥　上記①から⑤を除き、その者の**財産の状況その他の事情の変化**により、**猶予の継続が適当でない**と認められるとき

(2) 手続（通49②、③）

①　弁明の聴取

　　税務署長等は、上記(1)により納税の猶予を取り消し、又は猶予期間を短縮する場合には、繰上請求の要件に該当する事実があるときを除き、あらかじめ、その猶予を受けた者の**弁明を聞かなければならない**。

　　ただし、その者が正当な理由がなくその弁明をしないときは、この限りでない。

② 通知

　　税務署長等は、納税の猶予を取り消し、又は猶予期間を短縮したときは、その旨を**納税者に通知**しなければならない。

⑶ 取消の効果

　　猶予した金額の徴収、又は滞納処分が再開され、担保がある場合は担保の処分、保証人がいるときは保証人に対する徴収手続きが行われることになる。

　　なお、猶予の取消の効果は猶予の始期にさかのぼらない。そのため、猶予が取り消されても、猶予期間に対応する延滞税は免除される。

<コラム@ランダム>
～修正申告と納税の猶予～

　　税理士は業務上、クライアントの税務調査には必ず立会います。この税務調査が行われれば多くの場合、修正申告書を提出することになります。この時に様々な事情により複数の事業年度について多額の修正税額を納付しなければならないこともあります。

　　さて修正申告に係る国税の納期限はいつでしょうか。これは国税徴収法の受験生であれば、当然のことながら修正申告書の提出日と答えられるはずです。しかし、これが修正申告書の提出日に納付ができなければどうしたら良いでしょうか。このときには国税通則法の「納税の猶予」の申請をすることになります。直近の事業年度は適用はありませんが、古い事業年度分は国税通則法第46条、第3項の「確定手続が遅延した場合の納税猶予」、また直近の事業年度分は事情があれば第2項の「通常の納税の猶予」の適用が考えられます。

　　修正申告時にクライアントの資金繰などの事情を聴き取り、猶予の適用をしてもらおうというときには修正申告と納税の猶予の申請書を同時に提出してください。

　　この申請が認められれば延滞税が半額免除されることになりますから、クライアントのためにも是非この納税の猶予の申請も検討してください。

4-5　国税の猶予

換価の猶予　🔊

1　**職権による換価の猶予**（徴151①②（通46⑤、通47①準用））❖❖❖

(1)　**要件**（徴151①）

税務署長は、滞納者が**次のすべての要件**に該当すると認められるときは、その納付すべき国税につき滞納処分による財産の**換価を猶予することができる**。

① 滞納者が次のいずれかに該当すると認められること

イ　その財産の**換価を直ちにすること**によりその**事業の継続**又はその**生活の維持**を困難にするおそれがあること

ロ　その財産の換価を猶予することが、直ちにその換価をすることに比して、**滞納に係る国税及び最近において納付すべきこととなる国税**の徴収上有利であること

② その者が納税について**誠実な意思を有する**と認められること

③ **納税の猶予**又は**申請による換価の猶予**の適用を受けている**国税でない**こと

④ 税務署長が担保の徴収を必要と認めた場合に、納税者から**担保の提供があった**こと

(2)　**猶予期間**（徴151①）

換価の猶予により猶予される期間は、**原則として1年以内の期間**である。

(3)　**手続**（徴151②）

税務署長は、換価の猶予又は換価の猶予期間の延長をする場合において、必要があると認めるときは、滞納者に対し、**財産目録**、**担保の提供に関する書類**その他一定の書類又は**分割して納付させるために必要となる書類**の提出を求めることができる。

2　申請による換価の猶予（徴151の2①②（通46⑤、通47①準用））❖❖❖

⑴　要件（徴151の2①）

　　税務署長は、滞納者が**次のすべての要件に該当する**と認められるときは、その納付すべき国税につき滞納処分による**財産の換価を猶予することができる。**

① 　その者が納税について**誠実な意思を有する**と認められること。

② 　滞納者がその国税を一時に納付することによりその**事業の継続**又はその**生活の維持を困難にするおそれがある**と認められること

③ 　その国税の**納期限から６月以内**に滞納者から**換価の猶予の申請がされた**こと

④ 　**納税の猶予**又は**職権による換価の猶予**の適用を受けている国税でないこと

⑤ 　税務署長が担保の徴収を必要と認めた場合に、納税者から**担保の提供があった**こと

　　ただし、その**申請に係る国税以外の国税**（猶予の申請中の国税及び一定の猶予中の国税を除く。）の**滞納がある**場合には、**適用しない。**

⑵　猶予期間（徴151の2①）

　　換価の猶予により猶予される期間は、**原則として１年以内の期間**である。

⑶　手続（徴151の2③）

　　換価の猶予の申請をしようとする者は、次に掲げる事項を記載した**申請書に書類を添付し**、これを税務署長に**提出しなければならない。**

① 　記載事項

　イ 　国税を**一時に納付する**ことによりその**事業の継続**又はその**生活の維持が困難となる事情の詳細**

　ロ 　その納付を困難とする**金額**

　ハ 　猶予を受けようとする**期間**

　ニ 　その猶予に係る金額を**分割して納付する場合**の各納付期限及び各納付期限ごとの**納付金額**

　ホ 　その他一定の事項

② 　添付書類

　イ 　**財産目録**

　ロ 　**担保の提供**に関する書類

　ハ 　その他一定の書類

3

分割納付（徴152①）❖❖

(1) 分割納付（徴152①）

　税務署長は、換価の猶予又は換価の猶予期間の延長をする場合には、その猶予に係る金額（その納付を困難とする金額として一定の額を限度とする。）をその猶予をする期間内の各月（税務署長がやむを得ない事情があると認めるときは、その期間内の税務署長が指定する月。）に分割して納付させるものとする。

　この場合においては、滞納者の財産の状況その他の事情からみて、その猶予をする期間内の各月に納付させる金額が、それぞれの月において合理的かつ妥当なものとなるようにしなければならない。

(2) 分割納付の変更（徴152③④（通46⑨）準用）

　税務署長は、その猶予に係る金額を分割して納付させる場合において、納税者が通知された分割納付の各納付期限ごとの納付金額をその納付期限までに納付することができないことにつきやむを得ない理由があると認めるとき又は猶予期間を短縮したときは、その分割納付の各納付期限及び各納付期限ごとの納付金額を変更することができる。

4

担保の徴取（徴152③④（通46⑤⑥準用）、通55④）❖❖

(1) 担保の徴取（徴152③④（通46⑤））

　税務署長は、換価の猶予をする場合には、次の場合を除き、その猶予に係る金額に相当する担保を徴さなければならない。

① その猶予に係る税額が100万円以下である場合

② その猶予の期間が3月以内である場合

③ 担保を徴することができない特別の事情がある場合

(2) 担保の徴取と差押（通46⑥、55④）

① 税務署長は、その猶予に係る国税につき差し押えた財産があるときは、その猶予をする金額から差押財産の価額を控除した額を限度として、担保を徴取する。

② 納付委託があった場合において、担保の提供の必要がないと認められるに至ったときは、その認められる限度においてその担保の提供があったものとすることができる。

猶予期間の延長（徴152③④（通46⑦準用））❖

　税務署長は、猶予期間内にその猶予をした金額を納付することができないやむを得ない理由があると認めるときは、税務署長の職権又は納税者の申請によりその期間を延長することができる。

　ただし、その期間は、すでに猶予をした期間とあわせて2年を超えることができない。

6　通知（徴152①（通47①準用））❖

　税務署長は、換価の猶予をしたとき、又はその猶予の延長をしたときは、その旨を滞納者に通知しなければならない。

　また、換価の猶予を認めないとき、猶予の延長を認めないときも、その旨を滞納者に通知しなければならない。

7　換価の猶予の効果　❖❖

(1)　換価の制限

　税務署長は、換価の猶予をしたときは、その猶予期間内は、その猶予した国税につき、差押財産の換価をすることができないが、新たな差押や参加差押え、交付要求をすることができる。

(2)　差押の猶予又は解除（徴152②）

　税務署長は、換価の猶予をする場合において、必要があると認めるときは、差押により滞納者の事業の継続又は生活の維持を困難にするおそれがある財産の差押を猶予し、又は解除することができる。

(3)　天然果実等の換価又は充当（徴152（通48③④準用））

　税務署長は、換価の猶予をした場合において、その猶予に係る国税につき差し押さえた財産のうちに天然果実を生ずるもの又は有価証券、債権若しくは無体財産権等があるときは、上記(1)にかかわらず、次のように取り扱う

①　取得し又は給付を受けた財産で金銭以外の財産については、滞納処分を執行し、換価代金等をその猶予に係る国税に充てることができる。

②　給付を受けた財産が金銭であるときは、その金銭を直ちにその猶予に係る国税に充てることができる。

(4)　延滞税の免除（通63①③）

①　換価の猶予をした場合には、その猶予をした国税に係る延滞税のうち、その猶予をした期間に対応する部分の金額の2分の1に相当する金額を免除する。

②　上記①により免除されなかった延滞税についても、一定の要件に該当する場合は、税務署長は、その納付が困難と認められるものを限度として、免除することができる。

(5)　時効の不進行（通73④）

　換価の猶予があった場合には、その猶予期間内は、その猶予に係る国税の徴収権の時効は進行しない。

(6) 納付委託（通55①）

　納税者が換価の猶予に係る国税を納付するため、一定の有価証券を提供して、その取立てとその取立てた金銭によるその国税の納付を委託しようとする場合において、一定の要件に該当するときは、税務署等の職員は、その委託を受けることができる。

8　換価の猶予の取消（徴152③④（通49①③準用））❖

(1) 取消事由（徴152③④（通49①③準用））

　換価の猶予を受けた者が**次に該当する場合**には、**税務署長**は、その**猶予を取り消**し、又は**猶予期間を短縮**することができる。

　なお、②、④については、税務署長が**やむを得ない理由がある**と認めるときを**除く**。

① 　繰上請求のいずれかに該当する事実がある場合に、その者がその猶予に係る国税を**猶予期間内に完納することができない**と認められるとき

② 　分割納付の各納付期限ごとの納付金額をその**納付期限までに納付しない**とき

③ 　その猶予に係る国税につき提供された担保について、税務署長等がした**担保の変更等の命令に応じない**とき

④ 　新たにその猶予に係る国税以外の**国税を滞納した**とき

⑤ 　偽りその他不正な手段によりその猶予又はその猶予の期間の延長の**申請がされ**、その申請に基づきその**猶予**をし、又はその**猶予期間の延長をした**ことが判明したとき

⑥ 　上記①から⑤を除き、その者の**財産の状況その他の事情の変化**により、**猶予の継続が適当でない**と認められるとき

(2) 手続（徴152③④（通49③準用））

　税務署長は、上記(1)により換価の猶予を取り消し、又は猶予期間を短縮したときは、その旨を**納税者に通知**しなければならない。

(3) 取消の効果

　換価の猶予の取消は、猶予の効果が将来に向かってなくなる。したがって、猶予した金額の徴収、又は滞納処分が再開され、担保がある場合は担保の処分、保証人がいるときは保証人に対する徴収手続きが行われることになる。

　なお、猶予の取消の効果は猶予の始期にさかのぼらない。そのため、猶予が取り消されても、猶予期間に対応する延滞税は免除される。

Ch 1	
Ch 2	
Ch 3	
Ch 4	
Ch 5	
Ch 6	
Ch 7	
Ch 8	
Ch 9	
Ch 10	
Ch 11	
Ch 12	
Ch 13	
Ch 14	
Ch 15	

4-6 国税の猶予　　　　　出題年度：'22、'15、'01　他4回

滞納処分の停止

1　要件（徴153①）❖❖❖

税務署長は、滞納者につき**次のいずれかに該当する事実がある**と認めるときは、**滞納処分の執行を停止**することができる。

(1)　滞納処分の執行及び、租税条約等による共助対象による国税の徴収（以下この項において「滞納処分の執行等」という。）をすることができる**財産がないとき**

(2)　滞納処分の執行等をすることによってその**生活を著しく窮迫させるおそれがある**とき

(3)　その所在及び滞納処分の執行等をすることができる**財産がともに不明**であるとき

2　通知（徴153②）❖

税務署長は、滞納処分の執行を停止したときは、その旨を**滞納者に通知**しなければならない。

3　滞納処分の停止の効果（徴153③）❖❖❖

(1)　滞納処分の禁止

税務署長は、滞納処分の停止をしたときは、その**停止期間内**はその停止に係る国税につき**新たな差押えをすることができない。**

また、上記 1 (2)により滞納処分の執行を停止した場合において、その停止に係る国税について差し押えた財産があるときは、その**差押えを解除しなければならない。**

(2)　納付義務の消滅（徴153④、⑤）

①　3年間継続の場合

滞納処分の執行を停止した国税を納付する義務は、その**執行の停止が3年間継続したときは、消滅する。**

②　即時消滅の場合

上記 1 (1)の規定により滞納処分の執行を停止した場合において、その国税が**限定承認に係るものであるとき、その他その国税を徴収することができないことが明らかであるとき**は、税務署長は、上記①にかかわらず、その国税を納付する義務を直ちに消滅させることができる。

(3)　時効の進行（通73④）

滞納処分の執行を停止した場合は、その**停止期間内**においても、その停止に係る国税の徴収権の消滅時効は進行する。

(4)　延滞税の免除（通63①）

　　滞納処分の執行の停止をした場合には、その停止をした国税に係る延滞税のうち、その**停止をした期間に対応する部分の金額相当額**は、**免除**する。

4　滞納処分の停止の取消（徴154①④）❖

(1)　要件（徴154①）

　　税務署長は、**滞納処分の執行を停止した後３年以内**に、その停止に係る滞納者につき、上記1に該当する事実がないと認めるときは、その執行の停止を**取り消さなければならない**。

(2)　取消の通知（徴154②）

　　税務署長は、滞納処分の執行の停止を取消したときは、その旨を**滞納者に通知し**なければならない。

(3)　取消の効果

　　滞納処分の停止の取消しは、停止処分が将来に向かってのみ効力を生ずるものであり、取消の効果は停止の始期にさかのぼるものではない。

＜理論必勝法⑤＞
～入門者の暗記は"牛の歩み"で良いのです～

　　国税徴収法で税法科目の暗記を初めて経験するという方は1題をマスターするのに相当な時間を要することになります。おそらく本理論集の問題1題を暗記するのに最低3～4日程度要するものと思われます。

　　慣れてくればもう少し短時間で暗記ができるようになります。また暗記しやすい理論と暗記に時間を要するものもあります。とにかく1題1題をゆっくり焦らずに暗記していってください。

　　国税徴収法は他の税法科目と異なり計算学習が無く、この理論暗記しか学習課題がありません。

　　こう考えれば少しは気持ちも楽になるかもしれませんが、ゆっくり自分のペースで概ね30題の理論をGWの時期を目途にして、落ち着いた気持ちで暗記してください。

質問及び検査

1 質問及び検査とその相手方（徴141）❖❖❖

徴収職員は、滞納処分のため**滞納者の財産を調査する必要がある**ときは、その必要と認められる範囲内において、次に掲げる者に**質問**し、その者の財産に関する**帳簿書類**（電磁的記録を含む。）その他の物件を検査し、又は**その物件の提示若しくは提出を求める**ことができる。

⑴　滞納者

⑵　滞納者の財産を占有する第三者及びこれを占有していると認めるに足りる相当の理由がある第三者

⑶　滞納者に対し債権若しくは債務があった、若しくはあると認めるに足りる相当の理由がある者又は滞納者から財産を取得したと認めるに足りる相当の理由がある者

⑷　滞納者が**株主又は出資者である法人**

2 提出物件の留置（徴141の2）❖

徴収職員は、滞納処分に関する調査について必要があるときは、その調査において提出された物件を留め置くことができる。

3 事業者等への協力要請（徴146の2）❖

徴収職員は、滞納処分に関する調査について必要があるときは、**事業者**又は**官公署**に、その調査に関して参考となるべき帳簿書類その他の物件の閲覧又は提供その他の協力を求めることができる。

4 身分証明書の提示等（徴147①②）❖

⑴　**身分証明書の提示**

　　徴収職員は質問又は検査、提示若しくは提出の要求又は事業者等への協力要請をする場合には、その身分証明書を携帯し、関係者の請求があったときは、これを提示しなければならない。

⑵　**徴収職員の権限**

　　徴収職員による質問又は検査、提示若しくは提出の要求、物件の留置きの権限は犯罪捜査のために認められたものと解してはならない。

5　質問及び検査の拒否及び罰則（徴188、189）✤

(1)　次のいずれかに該当する場合には、その違反行為をした者は、**1年以下の懲役又は50万円以下の罰金**に処する。

　① 　質問及び検査の規定による徴収職員の質問に対して**答弁をせず**、又は**偽りの陳述**をしたとき。

　② 　質問及び検査の規定による検査を**拒み**、**妨げ**、又は**忌避**したとき。

　③ 　質問及び検査の規定による物件の提示又は提出の要求に対し、**正当な理由がな**くこれに応じず、又は偽りの記載若しくは記録をした帳簿書類その他の物件（その写しを含む。）を提出し、若しくは提示したとき。

(2)　**法人の代表者等**が、その法人等の業務又は財産に関して上記の**違反行為**をしたときは、その**行為者を罰する**ほか、その**法人等**に対し**罰金刑を科する**。

5-2 財産の調査

出題年度：'19、'14、'11　他6回

捜 索

1 捜索（徴142①） ❖❖❖

　徴収職員は、滞納処分のため必要があるときは、**滞納者の物又は住居**その他の場所につき**捜索することができる**。

2 第三者に捜索ができる場合（徴142①②） ❖❖❖

　徴収職員は、**滞納処分のため必要がある場合**には、次のいずれかに該当するときに限り、**第三者の物又は住居**その他の場所につき**捜索することができる**。

(1) 滞納者の財産を所持する第三者がその引渡をしないとき。

(2) 滞納者の**親族その他の特殊関係者**が滞納者の**財産を所持すると認めるに足りる相当の理由**がある場合において、その引渡をしないとき。

3 身分証明書の提示等（徴147） ❖

(1) **身分証明書の提示**（徴147①）

　　徴収職員は、捜索又は事業者等への協力要請をするときは、その**身分証明書を携帯**し、関係者の**請求があったとき**は、これを**提示**しなければならない。

(2) **徴収職員の権限**（徴147②）

　　徴収職員による捜索の権限は、**犯罪捜査のために認められたものと解してはならない**。

4 捜索の方法 ❖❖❖

(1) **金庫、戸などの開扉**（徴142③）

　　徴収職員は、捜索に際し必要があるときは、**滞納者若しくは第三者**に戸若しくは**金庫その他の容器の類を開かせ**、又は**自らこれらを開くため必要な処分**をすることができる。

(2) **捜索の立会人**（徴144）

　　徴収職員は、捜索をするときは、次の者を**立ち会わせなければならない**。

① その捜索を受ける**滞納者若しくは第三者**又はその**同居の親族**若しくは**使用人**その他の従業者で相当のわきまえのあるもの

② 上記①の者が**不在**であるとき、又は**立会に応じないとき**は、**成年に達した者二人以上**又は**地方公共団体の職員**若しくは**警察官**

5　出入禁止（徴145）❖❖

徴収職員は、**捜索、差押**又は**差押財産の搬出**をする場合において、これらの処分の執行のため**支障があると認められるとき**は、これらの処分をする間は、**次に掲げる者を除き**、その場所に**出入することを禁止**することができる。

⑴　**滞納者**

⑵　差押に係る**財産を保管する第三者**及び**捜索を受けた第三者**

⑶　上記⑴、⑵に掲げる者の**同居の親族**

⑷　滞納者の国税に関する申告、申請その他の事項につき滞納者を**代理する権限を有する者**

6　捜索の時間制限（徴143）❖

⑴　**時間制限**

捜索は、**日没後から日出前までは**することが**できない**。ただし、**日没前に着手した捜索**は、**日没後まで継続する**ことができる。

⑵　**時間制限の例外**

上記⑴にかかわらず、次の**すべて**に該当する場合は、**日没後でも**、**公開した時間内**は、捜索することができる。

①　捜索する場所が、**旅館、飲食店その他夜間でも公衆が出入することができる場所であること**

②　滞納処分の執行のため**やむを得ない必要があると認めるに足りる相当の理由があること**

7　捜索調書の作成（徴146）❖

⑴　**捜索調書の作成**（徴146①）

徴収職員は**捜索したとき**は、一定の事項を記載した**捜索調書を作成**しなければならない。

⑵　**捜索調書の交付**（徴146②）

徴収職員は、捜索調書を作成した場合には、その謄本を次の者に交付しなければならない。

①　捜索を受けた**滞納者又は第三者**

②　上記①の者以外の立会人があるときはその**立会人**

⑶　**差押調書**（徴146③）

上記⑴、⑵の規定は、**差押調書を作成する場合**には、**適用しない**。この場合、差押調書の謄本を捜索を受けた**第三者及び立会人**に交付しなければならない。

8　事業者等への協力要請（徴146の2）❖

　徴収職員は、滞納処分に関する調査について必要があるときは、**事業者**又は**官公署**に、その調査に関し参考となるべき帳簿書類その他の物件の**閲覧**又は**提供**その他の**協力**を求めることができる。

＜理論必勝法⑥＞
～暗記は最初は誰でも苦労する～

　暗記をしてくださいと言われても、思い通りに暗記が進むわけではありません。実際初学者であれば、数行の暗記するためにも相当な努力を要するというのも事実です。しかし決してこの暗記ができないから税理士試験を諦めるということがないようにしてください。

　税理士試験の合格者は、失礼な表現かもしれませんがごくごく普通の人間です。特別優秀であったり、持て余すほどの学習時間があって合格したという者は皆無です。合格者の多くは最初は悩んで苦労して学習をスタートさせて、そのうち少しずつ受験生モードになりながら学習を進めて、1科目ずつ合格した人達です。そう考えれば今の皆さんの気持ちと同じことを多くの先輩達も悩み経験をしているということです。

　とにかく挫折感や敗北感に常に苦しみながら、ゴールの見えない学習を日々続けるというのがこの試験の受験勉強の宿命です。弱い自分と折れそうな気持と向き合いながら今日も少し、そして明日はもうちょっと考え学習を継続する気持ちを持ち続けてください。

差押とは

1 差押えの要件 ❖❖❖

(1) 督促を要する差押

① 原則（徴47①）

滞納者が督促を受け、その督促に係る国税を、その**督促状を発した日から起算して10日を経過した日までに完納しないとき**は、徴収職員は、滞納者の国税につき、その財産を**差し押えなければならない。**

② 例外（繰上差押）（徴47②）

国税の納期限後、**督促状を発した日から起算して10日を経過した日までに**、督促を受けた滞納者につき、**繰上請求の要件に該当する事実が生じたとき**は、徴収職員は、**直ちに**その財産を**差し押えることができる。**

(2) 督促を要しない差押（徴47①二、159、通37①、38）

納税者が、次に掲げる国税をその納期限（繰上請求がされた国税については、その請求に係る期限）までに完納しないときは、徴収職員は、滞納者の国税につき、その財産を**差し押えなければならない。**

① 繰上請求若しくは繰上保全差押又は保全差押の適用を受けた国税

② 国税に関する法律の規定により一定の事実が生じた場合に直ちに徴収するものとされている国税

(3) 第二次納税義務者等への適用（徴47③）

第二次納税義務者又は保証人へ適用する場合は、上記の督促状を納付催告書とする。

(注)　督促を要しない差押

上記(2)以外にも譲渡担保財産の差押（徴24③）や物的担保の滞納処分（通52①）も督促をすることなく差押をすることができる。

6-2　滞納処分～差押(1)～

財産の差押え

1　差押えの対象財産 ✿

差押えができる財産は、差押えを行う時点で次の要件のすべてに該当しなければならない。

- (1)　財産が徴収法施行地内にあること
- (2)　財産が滞納者に帰属していること
- (3)　財産が金銭的価値を有すること
- (4)　財産が譲渡又は取立てができるものであること
- (5)　財産が差押禁止財産でないこと

2　一般の差押禁止財産 （徴75） ✿✿✿

次に掲げる財産は、**差し押えることができない。**

- (1)　**滞納者及び親族の最低限生活の保障のための生活用具**
  - ①　**滞納者及びその者と生計を一にする親族**の生活に欠くことができない衣服、寝具、家具、台所用具、畳及び建具
  - ②　滞納者及びその者と生計を一にする親族の生活に必要な3月間の食料及び燃料
- (2)　**滞納者が仕事をするためどうしても必要なもの**
  - ①　主として自己の労力により農業を営む者の農業に欠くことができない器具、肥料、労役の用に供する家畜及びその飼料並びに次の収穫まで農業を続行するために欠くことができない種子その他これに類する農産物
  - ②　主として自己の労力により漁業を営む者の水産物の採捕又は養殖に欠くことができない漁網その他の漁具、えさ及び稚魚その他これに類する水産物
  - ③　技術者、職人、労務者その他の主として自己の知的又は肉体的な労働により職業又は営業に従事する者（(2)①及び②に規定する者を除く。）のその業務に欠くことができない器具その他の物（商品を除く。）
  - ④　実印その他の印で職業又は生活に欠くことができないもの
- (3)　**滞納者の精神的文化的生活の尊重のためのもの**
  - ①　仏像、位牌その他礼拝又は祭祀に直接供するため欠くことができない物
  - ②　滞納者に必要な系譜、日記及びこれに類する書類
  - ③　滞納者又はその親族が受けた勲章その他名誉の章票

⑷ 社会保障制度の維持等のためのもの

① 滞納者又はその者と生計を一にする親族の学習に必要な書籍及び器具

② 発明又は著作に係るもので、まだ公表していないもの

③ 滞納者又はその者と生計を一にする親族に必要な義手、義足その他の身体の補足に供する物

④ 建物その他の工作物について、災害の防止又は保安のため一定の規定により設備しなければならない消防用の機械又は器具、避難器具その他の備品

3 条件付差押禁止財産（狭義の差押禁止財産）（徴78）❖❖

次に掲げる財産（ 2 ⑵①から③までの財産を除く）は、滞納者がその**国税の全額を徴収することができる**財産で、**換価が困難でなく**、かつ、**第三者の権利の目的となっていないもの**を提供したときは、滞納者の**選択**により、**差押をしない**ものとする。

⑴ 農業に必要な機械、器具、家畜類、飼料、種子その他の農産物、肥料、農地及び採草放牧地

⑵ 漁業に必要な漁網その他の漁具、えさ、稚魚その他の水産物及び漁船

⑶ 職業又は事業（上記⑴、⑵の事業を除く）の継続に必要な機械、器具その他の備品及び原材料その他たな卸をすべき資産

4 給与の差押禁止（徴76）❖

給料等については、**一定額に達するまでの部分の金額**は、差し押えることが**できない**。

この場合において、滞納者が同一の期間につき二以上の給料等の支払を受けるときは、その合計額につき、最低生活費保障額及び体面維持費に掲げる金額に係る限度を計算するものとする。

5 社会保険制度に基づく給付の差押禁止（徴77）❖

社会保険制度に基づき支給される退職年金、老齢年金、普通恩給、休業手当金及びこれらの性質を有する給付に係る債権は給料等と、退職一時金、一時恩給及びこれらの性質を有する給付に係る債権は退職手当等とそれぞれみなして、 4 の規定を適用する。

6 差押財産の選択 ❖

⑴ 超過差押の禁止（徴48①）

国税を徴収するために**必要な財産以外の財産**は、差し押えることができない。

⑵　**無益な差押の禁止**（徴48②）

　　差し押えることができる**財産**の価額がその差押に係る滞納処分費及び徴収すべき国税に先だつ他の国税、地方税その他の債権の金額の**合計額を超える見込がないとき**は、その財産は、差し押えることが**できない**。

⑶　**第三者の権利の尊重**（徴49）

　　徴収職員は、滞納者（譲渡担保権者を含む。）の財産を差し押えるに当っては、滞納処分の執行に支障がない限り、その財産につき**第三者が有する権利を害さないように努めなければならない**。

<理論必勝法⑦>
〜主語は誰か〜

　国税徴収法には、徴収側である税務署の手続規定が多く定められています。この時に主語が「税務署長」「徴収職員」と使い分けてあります。暗記の際にはこれも正確に区別してマスターする必要があります。というのはこの税務署長や徴収職員という文言は文章の冒頭に使われており、誤った記述がしてあるときには非常に目立ち、減点の対象になりかねません。

　くれぐれもですが、徴収職員の中には税務署長が含まれているのだから徴収職員の記述で間違いではないだろうなどと考えないでほしいと思います。

　ただし、試験の時にどちらが正しいかあやふやになってしまったときにはどうしたら良いでしょう。このような時には、主語なしで該当する文章を記述をしても構いません。ちなみに上記⑶第三者の権利の尊重ですが、冒頭の「徴収職員は」という文言なしに、「滞納者（譲渡担保権者を含む）の財産を…」として文章が始まっていても意味は十分に通じます。

　こんな方法もぜひ覚えておき、いざというときに活用してください。

差押換

1 第三者の権利の目的となっている財産の差押換え ❖❖❖

(1) **第三者の権利の目的となっている財産の差押換えの請求**（徴50①）

次のすべての要件に該当するときは、その**第三者**は、**税務署長**に対し、その財産の公売公告の日（随意契約による売却をする場合には、その売却の日）までに、その**差押換を請求**することができる。

① 質権、抵当権、先取特権（不動産保存の先取特権等又は不動産賃貸の先取特権等に限る。）、留置権、賃借権、配偶者居住権その他**第三者の権利**（上記の先取特権以外の先取特権を除く。）の目的となっている財産が差し押えられたこと

② 滞納者が他に**換価の容易な財産**を有していること

③ **他の第三者の権利の目的となっていないもの**であること

④ その財産によりその**滞納者の国税の全額を徴収する**ことができること

(2) **差押換えの請求があった場合の処理**（徴50②）

税務署長は、差押換えの請求があった場合において、その請求を**相当と認めるとき**は、その**差押換をしなければならない**ものとし、その請求を**相当と認めないとき**は、その旨をその**第三者に通知**しなければならない。

(3) **換価の申立て**（徴50③）

税務署長から差押換えの請求が**相当でないとの通知**を受けた第三者は、その**通知を受けた日から起算して7日を経過した日**までに、差押えるべきことを請求した財産の**換価をすべきこと**を、税務署長に対して申し立てることができる。

(4) **換価の制限**（徴50③）

税務署長は次に掲げる場合を除き、差押えるべきことの請求があった財産を**差押え、かつ、換価した後でなければ**、第三者の権利の目的となっている財産を換価することができない。

① その財産が**換価の著しく困難なもの**であること

② **他の第三者の権利の目的となっているもの**であること

(5) **差押えの解除**（徴50④）

税務署長は、上記(4)の場合において、その**換価の申立てがあった日から2月以内**にその申立てに係る財産を**差押え、かつ、換価に付さないとき**は、(1)①の第三者の権利の目的となっている財産の差押を**解除しなければならない**。

ただし、国税に関する法律の規定で換価をすることができないこととするものの適用があるときは、この限りでない。

(6) 滞納処分の制限との関係（徴50⑤）

　　差押換え又は換価の申立てによって行う差押は、国税に関する法律の規定で新た
に滞納処分の執行をすることができないこととするものにかかわらず、することが
できる。

2　相続があった場合の差押 ❖

(1) 相続人の権利の尊重（徴51①）

　　徴収職員は、被相続人の国税につきその相続人の財産を差し押える場合には、**滞
納処分の執行に支障がない限り、まず相続財産を差し押える**ように努めなければな
らない。

(2) 相続人の差押換の請求（徴51②）

　　被相続人の国税につき**相続人の固有財産**が差押えられた場合には、相続人は、税
務署長に対し、**次のすべての要件に該当することを理由として**その差押換えを請求
することができる。

①　相続人が他に**換価の容易な相続財産**を有していること

②　①の財産が**第三者の権利の目的**となっていないものであること

③　その財産によりその**滞納者の国税の全額**を徴収することができること

(3) 差押換えの請求があった場合（徴51③）

　　税務署長は、差押換えの請求があった場合において、その請求を**相当と認めると
き**は、その**差押換をしなければならない**ものとし、その請求を**相当と認めないとき**
は、その旨をその**相続人に通知しなければならない**。

(4) 滞納処分の制限との関係（徴50⑤）

　　差押換の請求によって行う差押は、国税に関する法律の規定で新たに滞納処分の
執行をすることができないこととするものにかかわらず、することができる。

差押の効力

1 処分禁止の効力 ❖

差押財産につき、国税を徴収するために不利益となる処分は禁止される。

2 時効完成猶予の効力 （通72③、民148①一） ❖❖

差押えに係る国税については、その差押の効力が生じたときに時効の完成が猶予される。

3 従物に対する効力 （民87②） ❖

主物を差押えたときは、その差押の効力は従物に及ぶ。

4 果実に対する効力 （徴52） ❖❖

(1) 天然果実に対する効力

差押の効力は、差押えた財産から生ずる**天然果実に及ぶ**。

ただし、滞納者又は第三者が差押財産の使用又は収益をすることができる場合には、その財産から生ずる天然果実については、この限りでない。

(2) 法定果実に対する効力

差押の効力は、差押財産から生ずる**法定果実に及ばない**。

ただし、債権を差し押えた場合における**差押後の利息**については、**この限りでない**。

5 保険金等に対する効力 （徴53） ❖

(1) 損害保険金等の請求権に対する効力

差押財産が損害保険等の目的となっているときは、その差押えの効力は、**保険金等の支払を受ける権利に及ぶ**。

ただし、損害保険等の目的物を差し押さえた旨を**保険者等に通知**しなければ、その差押えをもって**保険者等に対抗**することができない。

(2) 抵当権等が設定されていた場合の物上代位の特則

徴収職員が差押に係る上記(1)の**保険金等の支払を受けた場合**において、その財産がその保険等に係る事故が生じた時に先取特権、質権又は**抵当権の目的となっていたとき**は、その先取特権者、質権者又は抵当権者は、民法における先取特権の物上

代位の権利の行使のためその**保険金等の支払を受ける権利**を、その**支払前に差押を**したものとみなす。

6 相続等があった場合の滞納処分の効力 (徴139) ✤

(1) 滞納者の財産について**滞納処分を執行した後**、**滞納者が死亡**し、又は滞納者である**法人が合併により消滅**したときは、その財産につき**滞納処分を続行する**ことができる。

(2) 滞納者の死亡後その国税につき**滞納者の名義の財産に対してした差押え**は、その国税につきその財産を有する**相続人に対してされたものとみなす**。ただし、徴収職員がその**死亡を知っていたとき**は、この限りでない。

(3) 信託の受託者の任務が終了した場合において、新たな受託者が就任するに至るまでの間に信託財産に属する財産について**滞納処分を執行した後**、新たな受託者が就任したときは、その財産につき**滞納処分を続行する**ことができる。

(4) 信託の**受託者である法人**の信託財産に属する財産について滞納処分を執行した後、その受託者である法人としての**権利義務を承継する分割**が行われたときは、その財産につき**滞納処分を続行する**ことができる。

7 仮差押等に対する滞納処分の効力 (徴140) ✤

滞納処分は、**仮差押又は仮処分によりその執行を妨げられない**。

8 担保のための仮登記がある財産に対する差押えの効力 (徴52の2) ✤

担保のための仮登記がある財産について、清算金の支払の**債務の弁済前**（清算金がないときは、**清算期間の経過前**）にその差押えがされたものであるときは、**担保仮登記権利者**は、その仮登記に基づく**本登記の請求**をすることができない。

ただし、その差押えが清算金の支払の**債務の弁済後**（清算金がないときは、**清算期間の経過後**）にされたものであるときは、**担保仮登記権利者**は、その財産の所有権の取得をもって**差押債権者に対抗する**ことができる。

9 延滞税の一部免除の効力 (通63⑤) ✤

税務署長等は、滞納に係る国税の全額を徴収するために必要な財産につき差押えをした場合には、その差押えに係る**延滞税の一部を免除**することができる。

差押の共通的な手続き

1 差押調書の作成、謄本の交付 （徴54） ✤

　徴収職員は、滞納者の**財産を差し押さえたとき**は、**差押調書を作成**し、その財産が**次に掲げる財産**であるときは、その謄本を滞納者に交付しなければならない。

① 動産又は有価証券

② 債権

③ 第三債務者等がある無体財産権等

2 質権者等利害関係人への差押の通知 （徴55、徴令22①） ✤

(1) 通知を要する場合

　次に掲げる財産を差し押さえたときは、税務署長は、**それぞれに掲げる者のうち知れている者**に対し、その旨その他必要な事項を通知しなければならない。

① 質権、抵当権、先取特権、留置権、賃借権その他の**第三者の権利**（担保のための仮登記に係る権利を除く。）**の目的となっている財産**

　…これらの**権利を有する者**

② 仮登記がある財産

　…仮登記の**権利者**

③ 仮差押え又は仮処分がされている財産

　…仮差押え又は仮処分をした**保全執行裁判所又は執行官**

(2) **通知を要しない場合**

　(1)の通知は、捜索調書の作成により、差押調書の謄本の交付を受けた者に対しては、することを要しない。この場合においては、差押調書の謄本を第三者及び立会人に交付しなければならない。

差押の解除 🔊

1 差押を解除しなければならない場合 ❖❖❖

⑴ 差押国税の消滅、無益な差押え（徴79）

徴収職員は、次のいずれかに該当するときは差押を解除しなければならない。

① 納付、充当、更正の取消その他の理由により差押に係る**国税の全額が消滅した**とき

② 差押財産の価額がその差押に係る**滞納処分費及び差押に係る国税に先立つ他の国税、地方税その他の債権**の合計額を**超える見込がなくなった**とき

⑵ 第三者の権利の目的となっている財産の差押換（徴50①②④）

第三者の権利の目的となっている財産が差し押さえられた場合において、次のいずれかに該当するときは、税務署長はその**第三者の権利の目的となっている財産の差押を解除しなければならない。**

① 第三者からの差押換の請求を**相当と認めるとき**

② その**換価の申立てがあった日から2月以内**にその申立てに係る財産を**差押え、**かつ、**換価に付さないとき**

⑶ 相続人による差押換（徴51②③）

税務署長は、被相続人の国税につき相続人の固有財産が差押えられた場合において、その相続人からの差押換の請求を**相当と認めるとき**は、その**差押換をしなければならない**ものとし、その請求を**相当と認めないとき**は、その旨をその**相続人に通知しなければならない。**

⑷ 滞納処分の停止の場合（徴153①③）

税務署長は、滞納者につき滞納処分の執行をすることによってその**生活を著しく窮迫させるおそれがある**と認めるため、滞納処分の執行を停止した場合において、その停止に係る国税について差し押えた財産があるときは、その**差押えを解除しなければならない。**

⑸ 保全差押又は繰上保全差押の解除の場合（徴159⑤、通38④）

徴収職員は、次のいずれかに該当する場合には差押を**解除しなければならない。**

① 保全差押又は繰上保全差押を受けた者が、保全差押金額又は繰上保全差押金額に相当する担保を提供して、その**差押の解除を請求したとき**

② 税務署長が、**保全差押金額の通知をした日から6月を経過した日**又は**繰上保全差押金額の通知をした日から10月を経過した日**までに、その差押に係る国税につき納付すべき額の**確定がないとき**

(6) **不服申立の場合**（通105⑥）

徴収の所轄庁は、**国税不服審判所長から差押えの解除を求められたときは**、その差押えを**解除しなければならない**。

2 差押を解除することができる場合 ❖❖❖

(1) **超過差押その他**（徴79②）

徴収職員は、次のいずれかに該当するときは、差押財産の全部又は一部について、その差押えを**解除することができる**。

① 差押えに係る国税の一部の納付、充当、更正の一部の取消、差押財産の値上りその他の理由により、その価額が差押えに係る国税及びこれに先立つ他の国税、地方税その他の**債権の合計額を著しく超過する**と認められるに至ったとき。

② **滞納者**が他に差し押さえることができる**適当な財産を提供した場合**において、その**財産を差し押さえたとき**。

③ 差押財産について、**3回公売に付しても入札等がなかった場合**において、その差押財産の形状、用途、法令による利用の規制その他の事情を考慮して、**更に公売に付しても買受人がない**と認められ、かつ、随意契約による売却の見込みがないと認められるとき。

(2) **納税の猶予**（通48②）

税務署長等は、納税の猶予をした場合において、その猶予に係る国税につき既に滞納処分により**差し押さえた財産があるとき**は、その猶予を受けた者の**申請に基づき**、その差押えを**解除することができる**。

(3) **換価の猶予**（徴151①②）

税務署長は、換価の猶予をする場合において、必要があると認めるときは、差押により滞納者の事業の継続又は**生活の維持を困難にするおそれがある財産の差押を猶予**し、又は**解除することができる**。

(4) **保全差押又は繰上保全差押の解除**（徴159⑥、通38④）

徴収職員は、**保全差押又は繰上保全差押を受けた者**につき、その資力その他の事情の変化により、その**差押えの必要がなくなった**と認められることとなったときは、その差押えを解除することができる。

(5) **不服申立の場合**（通105③）

再調査審理庁又は国税庁長官は、再調査請求人等が、担保を提供して、不服申立ての目的となった処分に係る国税につき、既にされている滞納処分による差押を解除することを求めた場合において、相当と認めるときは、その差押えを解除することができる。

3　差押の解除の手続 ✤

(1)　差押解除の通知と手続（徴80①②③⑤）

　①　差押解除の通知

　　　差押の解除は、その旨を**滞納者に通知**することによって行う。ただし、**債権及び第三債務者等のある無体財産権等の差押**の解除は、その旨を**第三債務者等に通知**することによって行う。

　②　財産ごとの解除に伴う措置

　　イ　動産又は有価証券、自動車、建設機械又は小型船舶

　　　…その引渡及び封印、公示書その他差押を明白にするために用いた物の除去

　　ロ　債権又は第三債務者等がある無体財産権等

　　　…滞納者への通知

　③　差押登記の抹消の嘱託

　　　税務署長は、不動産その他差押の**登記をした財産**の差押を解除したときは、その登記の抹消を**関係機関に嘱託**しなければならない。

(2)　財産の引渡場所（徴80④）

　　動産又は有価証券の引渡は、**滞納者**に対し、次の区分に応じ、それぞれの場所において行わなければならない。

　　ただし、差押の時に滞納者以外の第三者が占有していたものについては、滞納者に対し引渡をすべき旨の第三者の申出がない限り、その第三者に引き渡さなければならない。

　①　更正の取消その他国の責任とすべき理由による場合

　　　…差押の時に存在した場所

　②　その他の場合

　　　…差押を解除した時に存在する場所

動産又は有価証券

1　差押手続 ✤

(1)　財産の占有 （徴56①）

動産又は有価証券の差押は、徴収職員がその**財産を占有**して行う。

(2)　動産・有価証券の保管

①　保管 （徴60①）

徴収職員は、**必要があると認めるとき**は、差し押えた動産又は有価証券を**滞納者又はその財産を占有する第三者**に保管させることができる。

ただし、その**第三者に保管**させる場合には、その運搬が困難であるときを除き、**その者の同意**を受けなければならない。

②　差押の表示 （徴60②）

上記①の場合には、封印、公示書その他**差押を明白にする方法**により差し押えた旨を**表示**しなければならない。

2　差押の効力 ✤

(1)　差押動産の使用収益 （徴61①）

差押えた動産は、原則として**使用収益をすることができない**。

ただし、徴収職員は、滞納者に差し押えた動産を保管させる場合において、国税の徴収上**支障がないと認めるとき**は、その**使用**又は**収益を許可**することができる。

(2)　金銭債権の効果 （徴56③）

徴収職員が**金銭を差し押えたとき**は、その限度において、滞納者から差押に係る**国税を徴収したものとみなす**。

3　差押の効力発生時期 ✤

(1)　原則 （徴56②）

動産又は有価証券の差押の効力は、徴収職員が**その財産を占有した時**に生ずる。

(2)　例外 （徴60②）

差押えた動産又は有価証券を滞納者又は第三者に保管させたときは、封印、公示書その他**差押を明白にする方法**により差し押えた旨を**表示した時**に、差押の効力が生ずる。

7-2 滞納処分〜差押(2)〜　　　　　出題年度：'24、'17、'02　他7回

引渡命令を受けた第三者等の権利の保護

1　第三者の権利の尊重（徴49）❖❖❖

　徴収職員は、滞納者（譲渡担保権者を含む。）の財産を差し押えるに当っては、滞納処分の執行に支障がない限り、その財産につき**第三者が有する権利を害さないように**努めなければならない。

2　第三者が占有する動産等の差押　❖❖❖

(1)　第三者が引渡しを拒否する場合（徴58①）

　　滞納者の動産又は有価証券で**第三者**（滞納者の親族その他の特殊関係者以外）が**占有しているもの**は、その第三者が**引渡を拒む**ときは、**差し押えることができない**。

(2)　引渡命令（徴58②）

　　上記(1)の場合において、滞納者が他に次のすべての要件に該当する**財産を有しない**と認められる場合には、**税務署長**は、その**第三者**に対し、期限を指定して、その動産等を徴収職員に**引き渡すべきこと**を**書面により命ずる**ことができる。

①　**換価が容易である**こと

②　その滞納に係る国税の**全額を徴収することができる**財産であること

(3)　通知（徴58②）

　　引渡命令をした税務署長は、その旨を**滞納者に通知**しなければならない。

(4)　引渡の期限（徴令24③）

　　徴収職員への引渡しの期限は、**引渡命令書を発する日から起算して7日を経過した日以後の日**としなければならない。

　　ただし、その第三者につき**繰上請求の事実**が生じたとき、その他特にやむを得ない必要があると認められるときは、この**期限を繰り上げる**ことができる。

(5)　引渡に係る動産等の差押（徴58③）

　　次のいずれかの場合には、徴収職員は、上記(1)にかかわらず、その動産等を**差し押えることができる**。

①　引渡命令に係る動産等が**徴収職員に引き渡された**とき

②　引渡命令を受けた第三者が、指定された期限までに徴収職員にその**引渡をしない**とき

(1) 滞納者に契約の解除を求めた場合

① 契約の解除（徴59①）

　　動産の引渡を命ぜられた**第三者**が、滞納者との契約による賃借権、使用貸借権等に基づき滞納者の動産を占有している場合において、その引渡をすることにより**占有の目的を達することができなくなるとき**は、その第三者は、その占有の基礎となっている**契約を解除することができる**。

② 契約解除の通知（徴令25①）

　　動産の引渡を命ぜられた第三者は、その動産の差押の時までに、その動産の引渡を命じた**税務署長**に対し、契約の解除をした旨の**通知を書面**でしなければならない。

③ 前払借賃への優先配当（徴59③）

　　動産の引渡を命ぜられた**第三者**が、次のすべての要件に該当するときは、その第三者は、税務署長に対し、その動産の売却代金のうちから、**前払借賃**に相当する金額で**差押の日後の期間に係るもの（最高３月分）の配当**を請求することができる。

　　イ　**賃貸借契約に基きその動産を占有していること**

　　ロ　引渡命令によりその契約を解除したこと

　　ハ　**引渡命令があった時前にその後の期間分の借賃を支払っていること**

④ 損害賠償請求権への配当（徴59①後段）

　　引渡命令を受けた第三者は、その契約の解除により滞納者に対して取得する**損害賠償請求権**については、その動産の**売却代金の残余**のうちから**配当を受ける**ことができる。

⑤ 配当の順位

　　前払借賃は、国税優先の原則の規定にかかわらず、滞納処分費に次ぎ、かつ、その動産上の**留置権の被担保債権**に次ぐものとして、配当することができる。

⑥ 配当の手続き（徴130①）

　　損害賠償請求権による配当や前払借賃についての**配当**を受けようとする者は、**売却決定の日の前日**までに**債権現在額申立書**を税務署長に提出しなければならない。

⑵　一定期間その動産の使用収益をすることを選択する場合

①　内容（徴59②）

　　徴収職員は、動産の引渡を命ぜられた**第三者の請求がある場合**には、その第三者が**契約を解除したときを除き**、その動産の占有の基礎となっている**契約の期間内**（最高３月間）は、その第三者にその**使用収益をさせなければならない。**

②　使用収益の請求（徴令25①②）

　　使用収益の選択をしたときは、その動産の**差押の時までに**、その動産の引渡を命じた**税務署長**に対し、**使用収益の請求**を書面でしなければならない。

　　また、差押の期限までに契約解除の通知又は使用収益の**請求がないとき**は、**使用収益の請求**があったものとみなす。

4　引渡を拒まなかった第三者の権利の保護（徴59④）✤

　上記 3 の規定は、引渡命令により**動産の引渡しを拒まなかった第三者**について準用する。

＜理論必勝法⑧＞
～文末に要注意～

　国税徴収法をはじめとする税理士試験の記述式問題は法律条文を基礎にした解答が前提です。したがって「です。」「ます。」という記述をすることはありません。基本的には文末は「ある。」ということになります。

　ここまで皆さんは各条文の末尾が「しなければならない。」「とする。」あるいは「することができる。」など規定されていることは理解していると思います。これらは当然ながら理論暗記をするときにも正確に使い分けて頭に入れるようにしてください。重要な規定によっては最後の末尾を「しなければならない。」なのに「できる。」と記述すれば大きな減点の対象になってしまいます。

　受験生の答案を採点していると、この使い分けが正確にできていないことが多いのも事実です。

　しかし合格答案であるためには、これら末尾の正確な記述は必須条件ということも理解しておいてほしいものです。

債 権

1 債権とは

債権とは、金銭又は換価に適する財産の給付を目的とする債権をいう。

なお、将来生ずべき債権であっても、差押え時において契約等により債権発生の基礎としての法律関係が存在しており、かつ、その内容が明確であると認められるものは、差し押さえることができる。

2 差押手続（電子記録債権以外） ✤

(1) **債権差押通知書の送達**（徴62①）

債権（電子記録債権を除く。）の差押えは、**第三債務者**に対する**債権差押通知書の送達**により行う。

(2) **登録社債等の差押登録の嘱託**（徴62④）

税務署長は、債権でその**移転につき登録を要するもの**を差し押えたときは、差押の登録を**関係機関に嘱託**しなければならない。

(3) **担保付債権の差押登記嘱託**（徴64）

抵当権又は登記することができる質権若しくは先取特権の**被担保債権を差し押えたときは、税務署長は、その債権の差押の登記を関係機関に嘱託**することができる。

この場合において、その嘱託をした税務署長は、その抵当権若しくは質権が設定されている財産又は先取特権がある**財産の権利者**（第三債務者を除く。）に**差し押えた旨を通知**しなければならない。

(4) **債権証書の取上げ**（徴65）

徴収職員は、債権の差押のため**必要があるときは**、その債権に関する**証書を取り上げる**ことができる。この場合においては、動産等の差押手続及び第三者が占有する動産等の差押手続の規定を準用する。

(5) **履行、処分の禁止**（徴62②）

徴収職員は、債権を差し押えるときは、**第三債務者**に対しその**履行**を、**滞納者**に対し**債権の取立その他の処分**を禁じなければならない。

(6) **差し押さえる債権の範囲**（徴63）

徴収職員は、債権を差し押えるときは、その**全額を差し押え**なければならない。ただし、その全額を差し押える**必要がないと認めるときは**、その**一部を差し押える**ことができる。

3 　差押の効力 ✤

(1)　法定果実に対する差押の効力（徴52②）

　差押の効力は、差押財産から生ずる**法定果実に及ばない**。

　ただし、債権を差し押えた場合における**差押後の利息**については、この限りでない。

(2)　継続的収入に対する差押の効力（徴66）

　給料若しくは年金又はこれらに類する**継続収入の債権**の差押の効力は、徴収すべき国税の額を限度として、**差押後に収入すべき金額に及ぶ**。

4 　差押の効力発生時期（徴62③）✤

　差押（電子記録債権を除く。）の効力は、**債権差押通知書が第三債務者に送達された時**に生ずる。

5 　差押債権の取立て ✤

(1)　取立権の取得（徴67①②）

　徴収職員は、差し押えた**債権の取立をすることができる**。

　なお、取り立てたものが金銭以外のものであるときは、これを差し押えなければならない。

(2)　金銭取立の効果（徴67③）

　徴収職員が上記(1)により**金銭を取り立てたとき**は、その限度において、滞納者から差押に係る国税を**徴収したものとみなす**。

(3)　弁済委託（徴67④（通55①～③準用））

　上記(1)の取立をする場合において、**第三債務者**が徴収職員に対し、その**債権の弁済の委託**をしようとするときは納付委託の規定を準用する。

　ただし、その証券の取り立てるべき期限が差し押えた債権の弁済期後となるときは、**第三債務者**は、**滞納者の承認**を受けなければならない。

6 　電子記録債権の差押（徴62の2）✤

(1)　差押手続（徴62の2①）

　電子記録債権の差押えは、**第三債務者**及びその電子記録債権の電子記録をしている電子債権記録機関に対する**債権差押通知書の送達**により行う。

⑵　差押の効力（徴62の2②）

　　徴収職員が電子記録債権を差押えるときは、**第三債務者**に対しその**履行**を、**電子債権記録機関**に対し**電子記録債権に係る電子記録**を、**滞納者**に対し**電子記録債権の取立てその他の処分**又は**電子記録の請求**を**禁じなければならない**。

⑶　電子記録債権の差押の効力発生時期（徴62の2③）

　　上記⑴の差押の効力は、**債権差押通知書**が**電子債権記録機関に送達された時**に生ずる。ただし、**第三債務者**に対する差押の効力は、**債権差押通知書**が**第三債務者に送達された時**に生じる。

＜コラム＠ランダム＞
〜債権差押としての銀行預金〜

　　国税徴収法の受験生のみなさんは、各種財産の差押について、その手続や効力発生時期などをマスターしているはずです。さて実際に徴収職員が滞納処分を執行するときには、7区分の財産のうちどのような財産を選択するでしょうか。換価の容易性から宝石や貴金属類の動産、また滞納金額が大きければ土地や建物の不動産、さらに株式などの有価証券類も差押の対象になるような印象がありませんか。

　　しかし一番差押の対象になる財産は債権としての銀行預金です。これは言うまでもなく換価や配当という手続きを必要とせず債権の取立てだけで滞納国税の徴収が可能だからです。

　　ただ受験にはこのような実務現場とは関係なく、それぞれの財産について差押の手続などを暗記しておく必要があります。くれぐれも「重要マーク」は付いていますが債権差押だけが最重要と考えないようにしてください。

不動産

1 差押手続（徴68）♣

(1) 差押書の送達（徴68①）

不動産の差押は、**滞納者**に対する**差押書の送達**により行う。

(2) 登記の嘱託（徴68③）

税務署長は、不動産を差し押えたときは、**差押の登記を関係機関に嘱託**しなければならない。

2 差押の効力発生時期 ♣

(1) 差押の効力発生時期（徴68②、④）

差押の効力は、その**差押書が滞納者に送達された時**に生ずる。

ただし、**差押の登記が差押書の送達前**にされた場合には、その**差押の登記がされた時**に差押の効力が生ずる。

(2) 鉱業権の差押の効力発生時期（徴68⑤）

鉱業権の差押の効力は、常に**差押の登録がされた時**に生ずる。

3 差押不動産の使用収益 ♣

(1) 滞納者による使用収益（徴69①）

滞納者は、差押えられた不動産につき、通常の用法に従い、**使用収益をすること**ができる。

ただし、税務署長は、不動産の**価値が著しく減耗する行為**がされると認められるときに限り、その**使用収益を制限**することができる。

(2) 第三者による使用収益（徴69②）

差押えられた不動産について使用収益をする権利を有する**第三者**についても、上記(1)の規定を**準用**する。

船舶又は航空機

1　差押手続（徴70（徴68①～④準用））❖

(1)　差押書の送達（徴70①）

　　船舶又は航空機の差押は、**滞納者**に対する**差押書の送達**により行う。

(2)　登記の嘱託（徴70①）

　　税務署長は、船舶又は航空機を差し押えたときは、**差押の登記を関係機関に嘱託**しなければならない。

2　船舶又は航空機の停泊・航行の許可（徴70）❖

(1)　船舶又は航空機の一時停泊（徴70②）

　　税務署長は、船舶又は航空機を差押えた場合、滞納処分のため必要があるときは**一時停泊**させることができる。

　　ただし、**航行中の船舶又は航空機**については、この限りではない。

(2)　船舶又は航空機の航行の許可（徴70⑤）

　　税務署長は、停泊中の船舶若しくは航空機を**差押えた場合又は停泊**させた場合において、営業上の必要その他**相当の理由**があるときは、**滞納者**並びにこれらにつき**交付要求をした者及び抵当権その他の権利を有する者の申立**により、**航行を許可**することができる。

3　監守保存処分（徴70③）❖

　徴収職員は、滞納処分のため必要があるときは、船舶又は航空機の**監守及び保存**のため**必要な処分**をすることができる。

4　差押えの効力発生時期 ❖

(1)　差押の効力発生時期（徴70②）

　　差押の効力は、その**差押書が滞納者に送達された時**に生ずる。

　　ただし、差押の**登記又は登録が差押書の送達前**にされた場合には、差押の登記**又は登録がされた時**に差押の効力が生ずる。

(2)　監守及び保存の処分がされた場合（徴70④）

　　監守及び保存のための処分が**差押書の送達前**にされた場合には、上記(1)にかかわらず、その**処分をした時**に差押の効力が生ずる。

出題年度：'15

Ch 1
Ch 2
Ch 3
Ch 4
Ch 5
Ch 6
Ch 7
Ch 8
Ch 9
Ch 10
Ch 11
Ch 12
Ch 13
Ch 14
Ch 15

7-6 滞納処分～差押(2)～

自動車、建設機械又は小型船舶

---

1 差押手続（徴71（徴68①～④準用））❖

(1) 差押書の送達（徴71①）

　　自動車、建設機械又は小型船舶の差押は、**滞納者**に対する**差押書の送達**により行う。

(2) 登記の嘱託（徴71①）

　　税務署長は、自動車、建設機械又は小型船舶を差し押えたときは、差押の**登記**を**関係機関に嘱託**しなければならない。

---

2 引渡命令及び占有（徴71③）❖

　税務署長は、自動車、建設機械又は小型船舶を差押えた場合には、**滞納者**に対し、これらの**引渡し**を命じ、徴収職員にこれらの**占有をさせる**ことができる。

---

3 保管（徴71⑤）❖

　徴収職員は、**占有**する自動車、建設機械又は小型船舶を**滞納者**又はこれらを**占有する第三者**に保管させることができる。

　この場合、封印その他の公示方法により徴収職員の**占有に係る旨**を明らかにしなければならない。

　また、下記<u>5</u>により**運行等を許可する場合**を除き、運行、使用又は航行をさせないための**適当な措置**を講じなければならない。

---

4 監守保存処分（徴71②）❖

　徴収職員は、滞納処分のため必要があるときは、自動車、建設機械又は小型船舶の監守及び保存のため**必要な処分をする**ことができる。

---

5 運行、使用又は航行の許可（徴71⑥）❖

　徴収職員は、<u>2</u>又は<u>3</u>により**占有**し、又は**保管**させた自動車、建設機械又は小型船舶につき**営業上の必要その他相当の理由**があるときは、**滞納者**並びにこれらにつき**交付要求をした者**及び**抵当権その他の権利を有する者**の申立てにより、その**運行、使用又は航行を許可する**ことができる。

(1) 差押の効力発生時期（徴71①）

差押の効力は、その**差押書**が**滞納者に送達された時**に生ずる。

ただし、差押の**登記又は登録**が**差押書の送達前**にされた場合には、差押の**登記又は登録がされた時**に差押の効力が生ずる。

(2) 監守及び保存の処分がされた場合（徴71②）

監守及び保存のための処分が**差押書の送達前**にされた場合には、上記(1)にかかわらず、その**処分をした時**に差押の効力が生ずる。

＜コラム＠ランダム＞
～差押は本当に行われるのか～

納税者は国税を滞納しているとき、常に差押に怯えなければならないのかと言えば、けっしてそのようなことはありません。というのはすでにお話しましたが滞納事案というのは数多くあり、徴収側の税務署でも滞納処分に手が回りきらないという事情があるからです。その証拠に滞納になっているにもかかわらず、納期限から50日を過ぎても督促状さえ送付されてこないということも多くあります。どうでしょう国税通則法第37条では国税の納期限から50日以内に督促しなければならないと規定されているにも関わらずです。

したがってクライアントも滞納後の差押を心配しているかもしれませんが、税務署から滞納について何らかの連絡があってから、改めて税理士が税務署に赴いて「納税の猶予」等の交渉を行うというのが滞納案件の解決方法ということになります。

出題年度：なし

Ch 1
Ch 2
Ch 3
Ch 4
Ch 5
Ch 6
Ch 7
Ch 8
Ch 9
Ch 10
Ch 11
Ch 12
Ch 13
Ch 14
Ch 15

7-7 滞納処分〜差押(2) 〜

第三債務者等がない無体財産権等

1 差押手続 （徴72） ✤

(1) 差押書の送達 （徴72①）

第三債務者等がない無体財産権等の差押は、**滞納者に対する差押書の送達**により行う。

(2) 登記の嘱託 （徴72③）

税務署長は、無体財産権等でその**権利の移転につき登記を要するもの**を差し押えたときは、**差押の登記を関係機関に嘱託**しなければならない。

2 差押の効力発生時期 ✤

(1) 差押の効力発生時期 （徴72②④）

差押の効力は、その**差押書が滞納者に送達された時**に生ずる。

ただし、**差押の登記が差押書の送達前にされた場合**には、その**差押の登記がされた時**に差押の効力が生ずる。

(2) 工業所有権の差押の効力発生時期 （徴72⑤）

特許権、実用新案権等**登記が効力発生要件である工業所有権**の差押の効力は、常に**差押の登記がされた時**に生ずる。

<＜理論必勝法⑨＞
〜慣用句の「又は」や「及び」、「若しくは」の記述〜

理論の中には「又は」、「及び」などの慣用句が数多く出てきます。この正しい使い方は巻末に掲載してありますので参考にしてください。実際に暗記したり記述するときにも、これらを正しく使い分けることが理想です。しかし実際にはなかなか正確には区別が難しいのも事実です。また使い方を間違えても大きなミスにならないものも多いので、あまり神経質になる必要はありません。

むしろこのような細かいことより理論全体が正しく暗記できているかどうかの方がはるかに重要だと考えて学習を進めてください。

第三債務者等がある無体財産権等

1 差押手続（振替社債等を除く）✤

(1) 差押通知書の送達（徴73①）

第三債務者等がある無体財産権等（「振替社債等」を除く。）の差押は、その**第三債務者等に対する差押通知書の送達**により行う。

(2) 登記の嘱託（徴73③、72③）

税務署長は、無体財産権等でその**権利の移転につき登記を要するもの**を差し押さえたときは、**差押の登記を関係機関に嘱託**しなければならない。

(3) 預託証書等の取上げ（徴73⑤（徴65準用））

徴収職員は、第三債務者等がある無体財産権等の差押のため**必要があるとき**は、その**権利に関する証書を取り上げる**ことができる。

この場合においては、動産等の差押手続及び第三者が占有する動産等の差押手続の規定を準用する。

2 差押の効力発生時期 ✤

(1) 差押の効力発生時期（徴73②③）

差押の効力は、その**差押通知書が第三債務者等に送達された時**に生ずる。

ただし、**差押の登記が差押通知書の送達前にされた場合**には、**差押の登記がされた時**に差押の効力が生ずる。

(2) 登録が効力発生要件である無体財産権等の場合（徴73④）

特許権、実用新案権等についての**専用実施権**及び商標権についての**専用使用権**の差押の効力は、上記(1)にかかわらず、**差押の登記がされた時**に生じる。

3 無体財産権等の取立て等（徴73⑤（徴67準用））✤

徴収職員は、差押えた第三債務者等のある無体財産権等は取立をすることができる。これにより、金銭を取り立てたきとは、その限度において滞納者から差押に係る国税を徴収したものとみなす。

なお、取り立てたものが**金銭以外のもの**であるときは、これを**差し押え**なければならない。

4　払戻し等の請求（徴74）✤

税務署長は、次のいずれにも該当するときは、その組合等に対し、その**持分の一部の払戻し等**を請求することができる。

(1)　特定の組合等の組合員等である滞納者の**持分を差し押さえた**こと。

(2)　上記(1)の持分につき次に掲げる理由があること。

　①　その持分を再度換価に付してもなお**買受人がない**こと。

　②　その持分の譲渡につき法律又は定款に制限があるため、**譲渡することができな**いこと。

(3)　その持分以外の財産につき**滞納処分を執行してもなお徴収すべき国税に不足する**と認められること。

　なお、この請求は、**原則として 30 日前**に組合等にその予告をした後でなければ、行うことができない。

5　振替社債等 ✤

(1)　**差押手続**（徴73の2①）

　振替社債等の差押えは、**振替社債等の発行者及び滞納者**がその口座の開設を受けている**振替機関等**に対する**差押通知書の送達**により行う。

(2)　**振替社債等差押の効力**（徴 73 の 2②）

　徴収職員は、振替社債等を差し押さえるときは、**発行者**に対しその**履行**を、**振替機関等**に対し**振替社債等の振替又は抹消**を、滞納者に対し**振替社債等の取立てその他の処分**又は**振替若しくは抹消の申請**を禁じなければならない。

(3)　**差押の効力発生時期**（徴 73 の 2③）

　差押の効力は、その**差押通知書が振替機関等に送達された時**に生ずる。

(4)　**振替社債等の取立て**（徴 73 の 2④）

　差し押さえた債権の取立ての規定は、振替社債等について準用する。

交付要求

1　要件（徴82①）❖❖❖

　滞納者の財産につき**強制換価手続が行われた場合**には、税務署長は、**執行機関**に対し、滞納に係る国税につき、**交付要求書**により**交付要求**をしなければならない。

2　手続 ❖❖

(1)　交付要求書の交付（徴82①）

　交付要求は、**執行機関**に対して**交付要求書**を交付することにより行う。

(2)　滞納者等への通知（徴82②③、徴55準用）

　税務署長は、交付要求をしたときは、**滞納者及び質権者等の**うち**知れている者**に対しその旨その他必要な事項を記載した**交付要求通知書**により**通知**しなければならない。

3　効力 ❖❖❖

(1)　配当請求（徴129①二）

　強制換価手続が行われた場合においては、交付要求をした国税は、換価代金等から配当を受けることができる。

(2)　交付要求先着手による国税の優先（徴13）

　納税者の財産につき強制換価手続（破産手続を除く。）が行われた場合において、国税及び地方税の交付要求があったときは、その換価代金につき、**先にされた交付要求に係る国税**は、**後にされた交付要求に係る国税又は地方税に先だって徴収**し、**後にされた交付要求に係る国税**は、**先にされた交付要求に係る国税又は地方税に次いで徴収**する。

(3)　交付要求による時効の完成猶予と更新（通73①五）

　国税の徴収権の時効は、交付要求がされている期間は完成せず、**交付要求がされている期間**（滞納者に通知がされていない期間があるときは、その期間を除く。）を経過した時から新たに時効が進行する。なお、交付要求に係る**強制換価手続が取り消されても、その時効の完成猶予及び更新の効力は失われない**。

(4) 強制換価手続の解除に伴う効力

　　交付要求は、その交付要求を受けた執行機関の**強制換価手続が解除され、又は取り消された場合**には、その**効力を失う**。

4　制限（徴83）♣♣

　税務署長は、滞納者が**他に換価の容易な財産で第三者の権利の目的となっていないもの**を有しており、かつ、その財産によりその**国税の全額を徴収することができる**と認められるときは、**交付要求をしないものとする**。

5　解除（徴84（徴55、82準用））♣

(1) 交付要求の解除（徴84①）

　　税務署長は、納付、充当、更正の取消その他の理由により**交付要求に係る国税が消滅**したときは、その交付要求を**解除しなければならない**。

(2) 交付要求の解除手続（徴84②③（徴55、82準用））

① 　交付要求の解除は、その旨をその**交付要求に係る執行機関に通知**することによって行う。

② 　交付要求を解除したときは、税務署長は、**滞納者及び質権者等のうち知れている者**に対し、その旨その他必要な事項を**書面により通知**しなければならない。

6　交付要求の解除請求 ♣♣♣

(1) 交付要求の解除請求（徴85①）

　　強制換価手続により配当を受けることができる債権者は、交付要求があったときは、税務署長に対し、**次の全ての要件に該当する**ことを理由として、その**交付要求を解除すべきことを請求**することができる。

① 　その交付要求により、自己の債権の**全部又は一部の弁済を受けることができないこと**

② 　滞納者が**他に換価の容易な財産で、第三者の権利の目的となっていないもの**を有しており、かつ、その財産によりその**交付要求に係る国税の全額を徴収することができること**

(2) 交付要求の解除請求に対する手続（徴85②）

　　税務署長は、上記(1)の解除の請求があった場合において、その**請求を相当と認めるときは、交付要求を解除しなければならない**ものとし、その**請求を相当と認めないときは、その旨をその請求をした者に通知**しなければならない。

出題年度：'21、'19、'11 他6回

参加差押

1 要件（徴86①）❖❖❖

次のすべての要件に該当するときは、税務署長は滞納処分をした**行政機関等**に対して**交付要求書に代えて参加差押書を交付することができる。**

(1) 滞納者の財産で(2)に掲げるものにつき、**既に滞納処分による差押がされていること**

(2) 上記(1)の滞納処分による**差押財産が以下の財産**であること

① 動産及び有価証券

② 不動産、船舶、航空機、自動車、建設機械及び小型船舶

③ 電話加入権

(3) 滞納処分としての**差押要件を満たしていること**

2 手続 ❖❖❖

(1) **参加差押書の交付**（徴86①）

税務署長は、滞納処分をした**行政機関等**に、交付要求書に代えて**参加差押書**を交付してすることができる。

(2) **参加差押通知書の送達**（徴86②④）

① 税務署長は参加差押をしたときは、**参加差押通知書**により**滞納者**に通知しなければならない。

② 参加差押をした財産が**電話加入権**であるときは、あわせて**第三債務者**に参加差押通知書によりその旨を通知しなければならない

③ 質権者、抵当権者等のうち知れている者に対し、その旨その他必要な事項を通知しなければならない。

(3) **参加差押登記の嘱託**（徴86③）

税務署長は、上記 1 (2)②につき参加差押をしたときは、**参加差押の登記を関係機関に嘱託**しなければならない。

3　効力 ❖❖❖

(1) 配当への参加（徴129①二）

滞納処分が行われた場合には、参加差押をした国税は換価代金等から配当を受けることができる。

(2) 交付要求先着手による国税の優先（徴13）

納税者の財産につき強制換価手続（破産手続を除く。）が行われた場合において、国税及び地方税の交付要求があったときは、その換価代金につき、**先にされた交付要求に係る国税は、後にされた交付要求に係る国税又は地方税に先だって徴収し、後にされた交付要求に係る国税は、先にされた交付要求に係る国税又は地方税に次いで徴収する。**

(3) 参加差押による時効の完成猶予と更新（通73①五）

国税の徴収権の消滅時効は、参加差押がされている期間は完成せず、参加差押がされている期間（滞納者に通知がされていない期間があるときは、その期間を除く。）を経過した時から新たに時効が**進行する。**

(4) 先行差押解除に伴う効力の発生（徴87①）

参加差押をした場合において、その参加差押に係る財産につきされていた滞納処分による差押が解除されたときは、その参加差押（1(2)②について二以上の参加差押えがあるときは、そのうち最も先に登記されたものとし、その他の財産について二以上の参加差押えがあるときは、そのうち最も先にされたもの）は、次のそれぞれの財産の区分に応じ、それぞれに掲げる時にさかのぼって差押えの効力を生ずる。

① 動産及び有価証券

　…**参加差押書が滞納処分による差押えをした行政機関等に交付された時**

② 不動産（鉱業権を除く。）、船舶、航空機、自動車、建設機械及び小型船舶

　…**参加差押通知書が滞納者に送達された時**（参加差押えの登記がその送達前にされた場合には、その**登記がされた時**）

③ 鉱業権　…参加差押えの**登録がされた時**

④ 電話加入権　…**参加差押通知書が第三債務者に送達された時**

(5) 差押財産の引渡しを受ける効力（徴87②）

税務署長は、差し押さえた**動産又は有価証券**につき**参加差押書の交付を受けた場合において、その動産又は有価証券の差押を解除すべきときは、その動産又は有価証券を上記(4)により差押えの効力を生ずべき参加差押えをした行政機関等に引き渡さなければならない。**

差し押さえた**自動車、建設機械又は小型船舶**で徴収職員が占有しているものについても、また同様とする。

⑹　みなし参加差押（徴令41①②）

　　２件以上の参加差押を受けている差押が、その差押を解除するときは、交付を受けた参加差押書その他の書類のうち**滞納処分に関し必要なもの**を、解除により**差押えの効力を生ずべき参加差押をした行政機関等**に引き渡さなければならない。

　　また、引き渡された参加差押書に係る**参加差押をした行政機関等**は、その参加差押をした時に、**差押えの効力が生ずべき行政機関等**に対し**参加差押をしたものとみなし**、その引き渡されたその他の書類は、その**行政機関等に提出されたものとみなす。**

⑺　換価遅延に対し催告ができる効力（徴87③）

　　参加差押をした税務署長は、その参加差押に係る滞納処分による**差押財産**が相当期間内に**換価に付されない**ときは、すみやかにその**換価をすべきこと**をその滞納処分をした**行政機関等に催告**することができる。

⑻　換価執行の決定（徴89の２①）

　　参加差押をした税務署長は、参加差押をした不動産が上記⑺の換価の催告をしてもなお換価に付されないときは、先行の滞納処分をした行政機関等の同意を得て参加差押に係る不動産につき換価の執行をする旨の決定をすることができる。

4　制限（徴88①）❖

次のすべての要件に該当するときは、税務署長は**参加差押をしない**ものとする。

⑴　**滞納者が他に換価が容易で、第三者の権利の目的となっていない財産**を有していること

⑵　上記⑴の財産により、**滞納国税の全額を徴収することができる**と認められること

5　解除　❖

⑴　参加差押の解除（徴88①（徴84準用））

　　税務署長は、納付、充当、更正の取消その他の理由により**参加差押に係る国税が消滅**したときは、その**参加差押を解除**しなければならない。

⑵　参加差押の解除手続（徴88①③（徴84準用））

　①　参加差押の解除は、その旨をその参加差押に係る行政機関等に通知することによって行う。

　②　参加差押を解除したときは、滞納者及び質権者等のうち知れている者にその旨を通知しなければならない。

　③　電話加入権の参加差押を解除したときは、その旨を第三債務者に通知しなければならない。

(3) 参加差押の登記の抹消（徴88②）

　　参加差押の登記をした財産の参加差押を解除した場合には、登記の抹消を関係機関に嘱託しなければならない。

6　参加差押の解除請求　♣♣♣

(1) 参加差押の解除請求（徴88①（徴85準用））

　　滞納処分により**配当を受けることができる債権者**は、参加差押があったときは、税務署長に対し、**次の全ての要件に該当することを理由**として、その**参加差押を解除すべきこと**を**請求することができる**。

①　その参加差押により、自己の債権の**全部又は一部の弁済を受けることができないこと**

②　滞納者が他に換価の容易な財産で、**第三者の権利の目的となっていないもの**を有しており、かつ、その財産によりその**参加差押に係る国税の全額を徴収することができること**

(2) 参加差押の解除請求に対する手続（徴88①（徴85準用））

　　税務署長は、上記(1)の解除の請求があった場合において、その**請求を相当と認めるとき**は、参加差押を**解除しなければならない**ものとし、その**請求を相当と認めないとき**は、その旨を**その請求をした者に通知**しなければならない。

<理論必勝法⑩>
～句読点「。」や「、」の使い方～

　理論の中に句読点の「。」や「、」が多く使われています。「。」は文章の最後に使われますから記述などに当たっても誤ることはありません。しかし「、」はどこで使用するのか悩むところです。

　採点に当たり読み易い答案ということであれば適宜「、」が入っている方が望ましいでしょう。ただこれもあまり多く使いすぎると非常に奇妙な文章になってしまいます。

　暗記に当たったは「、」はあまり意識せずに文章をマスターして、実際に記述するときに少々意識して「、」を使うという気持ちでいてください。

9-1 滞納処分〜換価〜

換 価

1 換価財産の範囲等 (徴89) ✿

(1) **差押財産**（金銭、債権及び債権の取立てをする有価証券を除く。）は、**換価しなければならない。**

(2) 差し押さえた**債権のうち**、その全部又は一部の**弁済期限**が取立てをしようとする時から**６月以内に到来しないもの及び取立てをすることが著しく困難**であると認められるものは、**換価することができる。**

(3) 税務署長は、相互の利用上**差押財産を他の差押財産**（滞納者を異にするものを含む。）**と一括して同一の買受人に買い受けさせることが相当であると認めるときは、これらの差押財産を一括して公売**に付し、又は**随意契約により売却**することができる。

2 換価の制限✿

(1) **財産の性質上換価が制限されるもの**（徴90①②）

① 果実は**成熟した後**、蚕は**繭となった後**でなければ、換価をすることができない。

② ①の規定は、生産工程中における**仕掛品**で、**完成品**となり、又は**一定の生産過程に達する**のでなければ、その価額が著しく低くて**通常の取引に適しないもの**について準用する。

(2) **第二次納税義務等に係る国税**（徴24①〜③、90③）

第二次納税義務者又は保証人が、第二次納税義務又は保証債務の告知、督促又はこれらに係る国税に関する滞納処分につき**訴えを提起したとき**は、その**訴訟の係属する間**は、その国税につき**滞納処分による財産の換価をすることができない。**

なお、譲渡担保権者がこの告知又は滞納処分につき訴えを提起した場合、仮登記の権利者に対する差押えの通知（担保のための仮登記に係るものに限る。）に係る差押えにつき、仮登記の権利者から訴えの提起があった場合も同様とする。

(3) **不服申立に関するもの**（通105①ただし書）

国税の徴収のため差押えた財産の滞納処分による換価は、その財産の価額が著しく減少するおそれがあるとき、又は不服申立人から別段の申出があるときを除き、その不服申立についての決定又は裁決があるまでは、することができない。

3 買受人の制限 （徴92） ❀

(1) 滞納者

滞納者は、換価の目的となった自己の財産（譲渡担保財産を除く。）を直接であると間接であるとを問わず買い受けることはできない。

(2) 国税に従事する職員

国税庁、国税局、税務署などに所属する職員で国税に関する事務に従事する職員は、換価の目的となった財産について、買い受けることができない。

4 換価前の措置 ❀

(1) 自動車等の換価前の占有 （徴91）

自動車、建設機械又は小型船舶の換価は、**徴収職員がこれらを占有した後**に行うものとする。ただし、**換価に支障がない**と認められるときは、この限りでない。

(2) 差押財産の修理等の処分 （徴93）

税務署長は、差押財産を換価する場合において、必要があると認めるときは、**滞納者の同意を得て**、その財産につき**修理**その他その**価額を増加する処分**をすることができる。

<コラム@ランダム>
~延滞税は待ってくれない~

さて実務の現場では、滞納は珍しいことではないことはお話ししました。利益の出ない法人には法人税や住民税、事業税などの納付はありません。しかし利益に関係なく消費税と給与関係の源泉所得税の納付は発生します。これにより中小の法人は消費税と源泉所得税の滞納が目立ちます。

これら滞納に関して迅速な滞納処分が行われることはありせんから、早急な差押を心配する必要はありません。しかし滞納は事実ですから、納付が行なわれるまでは延滞税が発生します。クライアントにこのような滞納が発生していれば「早めに納付してくださいネ」というアドバイスをしているだけでは税理士としてあまりにも無責任です。早速、税務署に赴き納税の猶予などの申請をすべきです。

こんな時こそ、あなたの国税徴収法の知識の見せどころだと思いませんか。しかもこれでクライアントから信頼関係も深まること間違いなしです。

公売

1　公売実施適正化の措置（徴108）❖

(1)　公売参加者の制限（徴108①）

税務署長は、公売への参加、買受代金の納付等を妨げた者、不当に連合した者など、一定の事項に該当すると認められる事実がある者については、その**事実があった後2年間、公売の場所に入ることを制限**し、若しくはその場所から**退場**させ、又は**入札等をさせない**ことができる。

このほか、その**事実があった後2年を経過しない者**を使用人その他の従業者として**使用する者**及びこれらの者を入札等の**代理人とする者**についても、同様とする。

(2)　暴力団員等に該当しないことの陳述（徴99の2）

公売不動産の入札等をしようとする者は、**暴力団員でないことなどを陳述**しなければ、**入札等をすることができない。**

(3)　処分の取り消し（徴108②）

公売の参加を制限された者の入札等、又はその者を最高価申込者等とする決定については、税務署長は、その**入札等がなかったもの**とし、又は**その決定を取り消す**ことができるものとする。

(4)　公売保証金の国庫帰属（徴108③）

上記(2)の取消処分を受けた者が納付した公売保証金があるときは、その公売保証金は、**国庫に帰属**する。

(5)　入札者等の身分に関する証明の要求（徴108④）

税務署長は、(1)に関し必要があると認めるときは、入札者等の身分に関する証明を求めることができる。

(6)　最高価申込者等の取消（徴108⑤）

税務署長は公売不動産の最高価申込者等又は自己の計算において最高価申込者等に公売不動産の入札等をさせた者が暴力団員等であると認める場合には、これらを最高価申込者等とする決定を取消すことができる。

2　公売（徴94）❖

(1)　税務署長は、差押財産を換価するときは、これを公売に付さなければならない。

(2)　公売は、入札又は競り売の方法により行わなければならない。

3 公売公告 （徴95①） ✤

(1) 公売公告

税務署長は、差押財産を公売に付するときは、**公売の日の少なくとも10日前まで**に、公売財産の名称、数量等一定の事項を**公告**しなければならない。

ただし、公売財産が不相応の保存費を要し、又はその価額を著しく減少するおそれがあると認めるときは、この期間を短縮することができる。

(2) 公告する方法 （徴95②）

公告は、税務署の**掲示場**その他税務署内の公衆の見やすい場所に**掲示**して行う。

ただし、他の適当な場所に掲示する方法、**官報**又は時事に関する事項を掲載する日刊新聞紙に掲げる方法その他の方法を併せて用いることを妨げない。

4 公売の通知 （徴96） ✤

(1) 税務署長は、**公売公告をしたときは**、公売公告の事項及び公売に係る国税の額を**滞納者及び次に掲げる者のうち知れている者**に通知しなければならない。

① 公売財産につき**交付要求**（参加差押を含む。）をした者

② 公売財産上に質権、抵当権、先取特権、留置権、地上権、賃借権**その他の権利を有する者**

③ 換価同意行政機関等

(2) 税務署長は(1)の通知をするときは、公売財産の売却代金から**配当を受けることができる者**のうち**知れている者**に対し、その配当を受けることができる国税、地方税その他の債権につき**債権現在額申立書**をその財産の**売却決定をする日の前日**までに提出すべき旨の**催告**をあわせてしなければならない。

5 公売の場所 （徴97） ✤

公売は、**公売財産の所在する市町村**（特別区を含む。）において行うものとする。ただし、税務署長が必要と認めるときは、他の場所で行うことができる。

6 見積価額の決定及び公告等 （徴98、99） ✤✤

(1) 見積価額の決定 （徴98）

① 税務署長は、**近傍類似**又は**同種の財産の取引価格**、公売財産から**生ずべき収益**、公売財産の原価その他の公売財産の価格形成上の**事情を適切に勘案**して、公売財産の**見積価額**を決定し、財産の種類に応じて、**所定の日までに見積価額を公告**しなければならない。

② 税務署長は、①の規定により見積価額を決定する場合において、必要と認めるときは、鑑定人にその評価を委託し、その評価額を参考とすることができる。

(2) 見積価額の公告（徴99①③④）

見積価額の公告の方法は、公売公告の規定を準用する。ただし、**動産であるとき**に限り、その財産に**見積価額を記載した用紙**を張り付けて、この公告に代えることができる。

また、公売財産に賃借権（不動産又は船舶に係るものに限る。）又は地上権があるときは、あわせてその存続期限、借賃又は地代その他これらの権利の内容を公告しなければならない。

(3) 見積価額を公告しない場合（徴99②）

税務署長は、上記(2)以外の財産で見積価額を公告しないときは、その見積価額を記載した書面を封筒に入れ、封をして、公売をする場所に置かなければならない。

7　公売保証金 ❖❖

(1) 公売保証金の額（徴100①）

① 公売財産の入札等をしようとする者（**入札者等**）は、税務署長が公売財産の**見積価額の100分の10以上**の額により定める**公売保証金**を次のいずれかの方法により提供しなければならない。

イ　**現金**（一定の小切手を含む。）で納付する方法

ロ　入札者等と保証銀行等との間において、入札者等に係る公売保証金に相当する現金を税務署長の催告により**保証銀行等が納付する旨の契約が締結されたことを証する書面**を税務署長に提出する方法

② 税務署長は、公売財産の**見積価額が50万円以下**である場合又は**買受代金を売却決定の日に納付させる**ときは、公売保証金の**提供を要しない**ものとすることができる。

(2) 提供の効果（徴100②）

入札者等は、公売保証金の提供が必要ない場合を除き、**公売保証金を提供した後**でなければ、**入札等**をすることができない。

(3) 買受代金への充当等（徴100③、115④）

公売財産の買受人は、提供した**公売保証金**がある場合には、公売保証金を**買受代金に充てる**ことができる。

ただし、買受人が買受代金を納付期限までに納付しないことにより**売却決定が取り消された**ときは、その**公売保証金**をその**公売に係る国税**に充て、なお**残余がある**ときは、これを**滞納者に交付**しなければならない。

⑷　**公売保証金の返還**（徴100⑥）

　　税務署長は、最高価申込者等を定めた場合において、**他の入札者等の提供した公売保証金があるとき**その他一定の場合には、遅滞なく、公売保証金をその提供した者に**返還**しなければならない。

⑸　**公売保証金の国庫帰属**（徴108③）

　　公売参加制限者の入札等又はその者を最高価申込者等とする決定を税務署長が取消したときは、その処分を受けた者の納付した公売保証金は国庫に帰属する。

| 8 | 公売の方法 ❖ |

⑴　**入札**（徴101、102）

　①　**入札**（徴101①②）

　　　入札をしようとする者は、税務署長が指定した**入札期間内**に一定の事項を記載した**入札書**に封をして、徴収職員に差し出さなければならない。電子情報処理組織を使用して入札がされる場合には、入札書に封をすることに相当する措置をもってその封をすることに代えることができる。

　　　なお、入札者は、その提出した入札書の**引換**、**変更**又は**取消**をすることができない。

　②　**開札**（徴101③）

　　　開札をするときは、徴収職員は、**入札者**を開札に立ち会わせ、**入札者**が立ち会わないときは、**税務署所属の他の職員**を開札に立ち会わせなければならない。

　③　**再度入札**（徴102）

　　　税務署長は、入札の方法により差押財産を公売する場合において、**入札者がないとき**、又は**入札価額が見積価額に達しない**ときは、直ちに**再度入札**をすることができる。この場合、見積価額を変更することができない。

　④　**複数落札入札**（徴105）

　　　税務署長は、種類及び価額が同じ財産を一時に多量に入札の方法により公売する場合において、必要があると認めるときは、その財産の数量の範囲内において入札をしようとする者の希望する数量及び単価を入札させ、見積価額以上の単価の入札者のうち、入札価額の高い入札者から順次その財産の数量に達するまでの入札者を最高価申込者とする方法（「**複数落札入札制**」という。）によることができる。

　　　この場合において、最高価申込者となるべき最後の順位の入札者が２人以上あるときは、入札数量の多いものを先順位の入札者とし、入札数量が同じときは、くじで先順位の入札者を定める。

⑤　暴力団員等に該当しないことの陳述（徴99の２）

　　公売不動産の入札をしようとする者（法人である場合は、その代表者）は、税務署長に対し、暴力団員関係者等に該当しない旨を陳述しなければ、入札等をすることができない。

⑵　競り売り

①　競り売り（徴103①②）

　　競り売りにより差押財産を公売するときは、徴収職員は、その**財産を指定**して、**買受の申込を催告**しなければならない。

②　再度競り売り（徴103③）

　　競り売りにより差押財産を公売する場合において、買い手がないとき、又は最高価額が見積価額に達しないときは、再度入札の場合と同様に、直ちに再度競り売りをすることができる。

9　最高価申込者等の決定 ❖❖

⑴　最高価申込者の決定（徴104）

①　徴収職員は、**見積価額以上の入札者等**のうち**最高の価額による入札者等**を**最高価申込者**として定めなければならない。

②　①の場合において、最高の価額の入札者等が**二人以上ある**ときは、更に**入札等**をさせて定め、なおその入札等の価額が同じときは、**くじで定める**。

⑵　次順位買受申込者の決定（徴104の２）

①　徴収職員は、**次のすべての要件**に該当するときは、その入札者を**次順位買受申込者**として定めなければならない。

　イ　**入札の方法**による**不動産等**の公売であること

　ロ　**最高入札価額に次ぐ高い価額**（見積価額以上で、かつ、最高入札価額から公売保証金の額を控除した金額以上であるものに限る。）による入札者から、**次順位による買受けの申込み**があること

②　①の次順位による買受けの申込みは、**最高価申込者の決定後直ちに**しなければならない。

③　①の場合において、最高入札価額に次ぐ高い価額による入札者が**二人以上ある**ときは、**くじで定める**。

⑶　調査の嘱託（徴106の２）

　　税務署長は、公売不動産の最高価申込者等（法人である場合は、その役員）が暴力団員等に該当するか否かについて、必要な調査をその税務署の所在地を管轄する都道府県警察に嘱託しなければならない。ただし公売不動産の最高価申込者等が暴

力団員等に該当しないと認めるべき事情がある場合は、この限りではない。

10 入札又は競り売りの終了の告知等（徴106、106の2）❖

(1) 徴収職員は、**最高価申込者等**を定めたときは、直ちにその氏名及び価額（複数落札入札制による場合には、数量及び単価）を告げた後、入札又は競り売りの**終了を告知**しなければならない。

(2) 公売した財産が**不動産等**であるときは、税務署長は、最高価申込者等の氏名、その価額並びに売却決定をする日時及び場所を、**滞納者**及び**利害関係人のうち知れている者**に**通知**するとともに、これらの事項を**公告**しなければならない。

(3) 終了の公告は、公売公告の方法と同様に行う。

11 再公売❖

(1) 再公売ができる場合（徴107①）

税務署長は、公売に付しても入札者等がないとき、入札者等の価額が見積価額に達しないとき、又は次順位買受申込者が定められていない場合において公売参加が制限される者、又は自己の計算において最高価申込者等に不動産の入札をさせた者が暴力団員等である場合に、これらの者を最高価申込者等とする決定等を取り消し、若しくは買受代金の納付の期限までの納付がないことにより売却決定を取り消したときは、更に公売に付するものとする。

(2) 再公売の手続（徴107②③④）

税務署長は、再公売に付する場合において、必要があると認めるときは、見積価額その他の事項を変更することができる。

なお、再公売が直前の公売期日から10日以内に行われるときは、滞納者等に対する公売の通知及び債権現在額申立書提出の催告をする必要はない。

また、不動産、船舶、航空機を再公売する場合には、見積価額を公売の日の前日までに公告する必要がある。

9-3 滞納処分〜換価〜

随意契約・国による買い入れ

1 随意契約 ✿

(1) 随意契約による売却の要件（徴109①）

次のいずれかに該当するときは、税務署長は、差押財産を**随意契約**により売却することができる。

① 法令の規制を受ける財産等

イ **法令の規定により、公売財産を買い受けることができる者が一人であるとき**

ロ その財産の**最高価額が定められている**場合において、その価額により売却するとき

ハ その他公売に付することが**公益上適当でないと認められる**とき

② 取引所の相場がある財産

取引所の相場がある財産を**その日の相場で売却する**とき

③ 買受希望者のない財産

イ 公売に付しても**入札等がない**とき

ロ 入札等の価額が**見積価額に達しない**とき

ハ 買受人が買受代金を納付しないため、**売却決定を取り消した**とき

(2) 随意契約による見積価額の決定（徴109②）

差押財産を随意契約で売却する場合は、次の場合を除き、売却財産の見積価額を定めなければならない。

① 最高価額が定められている財産をその価額で売却するとき

② 取引所の相場がある財産をその日の相場で売却するとき

また、上記(1)③の買受希望者のない財産を売却するときは、その見積価額は、その直前の公売における見積価額を下回ってはならない。

(3) 売却の通知（徴109④）

税務署長は、随意契約により売却をする日の7日前までに、公売の通知に準じて、滞納者その他一定の者に通知書を発しなければならない。

また、売却財産の売却代金から配当を受けることができる者のうち知れている者に対し、その配当を受けることができる国税等につき、債権現在額申立書をその財産の売却決定をする日の前日までに提出すべき旨の催告をあわせてしなければならない。なお、随意契約による売却が直前の随意契約期日から10日以内に行われるときは、適用しない。

⑷　買受人の通知及び公告（徴109④）

　　財産が不動産等であるときは、買受人の氏名、その価額等を滞納者及び利害関係人のうち知れている者に通知するとともに、これらの事項を公売公告の方法に準じて公告しなければならない。

⑸　暴力団員等に該当しないことの陳述（徴109④）

　　公売不動産を随意契約により買い受けようとする者（法人である場合は、その代表者）は、税務署長に対し、暴力団員関係者等に該当しない旨を陳述しなければ、買い受けることができない。

⑹　調査の嘱託（徴109④）

　　税務署長は、自己の計算において最高価申込者等に公売不動産を随意契約により買い受けさせようとした者（法人である場合は、その役員）が暴力団員等に該当するか否かについて、必要な調査をその税務署の所在地を管轄する都道府県警察に嘱託しなければならない。ただし公売不動産の最高価申込者等が暴力団員等に該当しないと認めるべき事情がある場合は、この限りではない。

2　国による買い入れ（徴110）✤

　国は、随意契約による売却の買受希望者のない財産について、必要があるときは、直前の公売における見積価額でその財産を買い入れることができる。

<＜理論必勝法⑪＞
～一字一句完全暗記するのか～>

　受験生から質問で一番多いのが「理論は一字一句暗記するのですか」という問いです。この問いに「その必要はありません」というのが私のアドバイスになります。つまり本質的な部分が間違いなく記述できていれば正解ということになるということです。しかしこれは表向のアドバイスです。

　というのも実際に直前期になり受験生の答案を採点していると、いわゆる合格答案はほとんど法律条文やこの理論集の文章に近い記述がしてあるというのが事実だからです。つまり合格のためにはできるだけ正確に各文章をマスターすることが必須条件ということになります。

　このような事情もありますので、みなさんもできるだけ時間を掛けてゆっくり正確に各理論を暗記してください。

売却決定

1 売却決定の方法 ✤

(1) 動産等の売却決定（徴111）

　　税務署長は、**動産、有価証券**又は**電話加入権**を換価に付するときは、**公売期日等**において、**最高価申込者**に対して**売却決定**を行う。

(2) 不動産等の売却決定（徴113①、徴規1の6）

　　税務署長は、**不動産等**を換価に付するときは、公売期日から起算して**7日**（不動産の換価による最高価申込者が暴力団員等でないことの調査を嘱託する場合は**21日**）を経過した日（「**売却決定期日**」という。）において**最高価申込者**に対して**売却決定**を行う。

(3) 次順位買受申込者への売却決定（徴113②）

　　次順位買受申込者を定めている場合において、**最高価申込者**に係る**決定の取消し**をしたときその他一定の処分又は行為があったときは、税務署長は、それに応じた日において**次順位買受申込者**に対して売却決定を行う。

(4) 滞納処分の停止による買受申込み等の取り消し（徴114）

　　換価財産について**最高価申込者等**の決定又は**売却決定**をした場合において、不服申立てがあった場合の処分の制限等の規定に基づき**滞納処分の続行の停止**があったときは、その停止している間は、その最高価申込者等又は買受人は、その**入札等**又は**買受け**を**取り消す**ことができる。

2 代金の納付 ✤

(1) 買受代金の納付の方法（徴115①③、徴令42の3）

　　買受人は、買受代金をその**納付の期限**までに、所定の事項を記載した書面を添えて、徴収職員に対し**現金で納付**しなければならない。

　　なお、現金で納付する方法により提供した公売保証金がある場合には、買受人の意思表示により、買受代金の一部に充てることができる。

(2) 買受代金の納付期限（徴115①②）

　　換価財産の買受代金の納付の期限は次の通りである。

　① **売却決定の日**（買受人が**次順位買受申込者**である場合は、**売却決定の日**から起算して**7日**を経過した日）とする。

② 税務署長が必要と認めるときは、①の**期限を延長**することができる。ただし、その期間は、**30日**を超えることができない。

(3) **売却決定通知書の交付**（徴118）

税務署長は、換価財産（有価証券を除く。）の買受人がその**買受代金**を納付したときは、**売却決定通知書を買受人に交付**しなければならない。

ただし、動産については、その交付をしないことができる。

(4) **期限までに買受代金の納付がされなかった場合**

① **売却決定の取消**（徴115①④）

税務署長は、買受人が買受代金を納付期限までに納付しないときは、その**売却決定を取り消す**ことができる。

② **公売保証金の国への充当等**（徴100③）

公売財産の買受人は、提供した公売保証金がある場合には、公売保証金を買受代金に充てることができる。

ただし、上記①により売却決定が取り消されたときは、その公売保証金をその公売に係る国税に充て、なお残余があるときは、これを滞納者に交付しなければならない。

3　動産等の売却決定の取消 ♣

(1) **売却決定の取消**（徴112①）

換価をした**動産又は有価証券**に係る**売却決定の取消**は、これをもって買受代金を納付した**善意の買受人に対抗**することができない。

(2) **売却決定の取消の通知**（徴112②）

(1)の規定により買受人に対抗することができないことにより損害が生じた者がある場合には、その生じたことについてその者に故意又は過失があるときを除き、国は、その通常生ずべき損失の額を賠償する責に任じ、他に損害の原因について責に任ずべき者があるときは、その者に対して求償権を行使することができる。

(3) **換価代金等の返還**（徴135）

税務署長は、売却決定を取り消したときは、徴収職員が受領した換価代金等の買受人への返還その他一定の手続をしなければならない。

4　買受代金の納付の効果（徴116①）♣

(1) **換価財産の権利取得**

買受人は、**買受代金を納付した時**に換価財産を取得する。

(2) 国税のみなし徴収（徴116②）

　　徴収職員が買受代金を受領したときは、その限度において、**滞納者から換価に係る国税を徴収したものとみなす。**

5　担保権の消滅又は引き受け（徴124）❖❖

(1) 担保権の消滅

　　換価財産上の質権、抵当権、先取特権、留置権、担保のための仮登記に係る権利及び担保のための仮登記に基づく本登記でその財産の差押え後にされたものに係る権利は、その**買受人**が**買受代金を納付**した時に**消滅**する。

(2) 担保権の引受け

　　税務署長は、**不動産、船舶、航空機、自動車又は建設機械**を換価する場合において、**次のすべての要件**に該当するときは、その財産上の質権、抵当権又は先取特権（登記がされているものに限る。以下同じ。）に関する負担を**買受人に引き受けさせる**ことができる。

　　この場合においては、上記(1)の規定は、適用しない。

①　**差押に係る国税**がその質権、抵当権又は先取特権の被担保債権に**次いで徴収**するものであるとき

②　その質権、抵当権又は先取特権の被担保債権の**弁済期限**がその財産の**売却決定期日から６月以内に到来しない**とき

③　その質権、抵当権又は先取特権を有する者から**申出**があったとき

6　法定地上権等の成立（徴127）❖❖

(1) 法定地上権の設定

　　土地及び建物等が滞納者の所有に属する場合において、その土地又は建物等の差押があり、その**換価によりこれらの所有者を異にするに至った**ときは、その**建物等**につき、地上権が設定されたものとみなす。

(2) 法定賃借権の設定

　　地上権及びその**目的となる土地の上にある建物等**が滞納者の所有に属する場合において、その地上権及びその土地の上にある建物等の差押があり、その**換価により**これらの**所有者を異にするに至った**ときは、その建物等につき、**地上権の存続期間内において土地の賃貸借をしたもの**とみなす。

(3) 地代等

　　上記(1)又は(2)の権利の存続期間及び**地代**は、当事者の請求により**裁判所が定める。**

9-5 滞納処分〜換価〜

権利移転手続

1 動産等の引渡し ✤

(1) 動産等の引渡し（徴119①）

税務署長は、換価した動産、有価証券又は自動車、建設機械若しくは小型船舶（徴収職員が占有したものに限る。）の買受人が**買受代金を納付した**ときは、その財産を買受人に引き渡さなければならない。

(2) 滞納者等に保管させている動産等の引渡し（徴119②）

税務署長は、換価した動産等を滞納者又は第三者に**保管させているときは、売却決定通知書を買受人に交付**し、その財産の引渡をすることができる。この場合において、その引渡をした税務署長は、その旨を**滞納者又は第三者に通知**しなければならない。

2 有価証券の裏書等（徴120）✤

(1) 税務署長は、換価した有価証券を買受人に引き渡す場合において、その証券に係る権利の移転につき滞納者に裏書、名義変更又は流通回復の手続をさせる必要があるときは、期限を指定して、これらの手続をさせなければならない。

(2) 税務署長は、(1)の場合において、滞納者がその期限までに上記(1)の手続をしないときは、滞納者に代ってその手続をすることができる。

3 債権、第三債務者等がある無体財産権の引渡（徴122）✤

(1) 第三債務者等への売却決定通知書の交付

税務署長は、換価した債権又は第三債務者等若しくは振替社債等の買受人がその買受代金を納付したときは、売却決定通知書を第三債務者等に交付しなければならない。

(2) 債権証書その他の権利証書の引渡し

債権証書その他の権利証書で、差押により取り上げた証書があるときは、買受人に引き渡さなければならない。

4　不動産の登記等 ✤

(1)　権利移転の登記の嘱託（徴121）

　　税務署長は、換価財産で権利の移転につき登記を要するものについては、その買受代金を納付した買受人の請求により、その権利の移転の登記を関係機関に嘱託しなければならない。

(2)　換価により消滅する権利の抹消の登記（徴125）

　　税務署長は、上記の規定により権利の移転の登記を嘱託する場合において、換価に伴い消滅する権利に係る登記があるときは、あわせてその抹消を関係機関に嘱託しなければならない。

5　権利移転費用の負担（徴123）✤

　上記 2 (2)の規定による手続に関する費用及び 4 (1)に係る登記の登録免許税その他の費用は、買受人の負担とする。

Ch 1
Ch 2
Ch 3
Ch 4
Ch 5
Ch 6
Ch 7
Ch 8
Ch 9
Ch 10
Ch 11
Ch 12
Ch 13
Ch 14
Ch 15

10-1 滞納処分 〜配当(1)〜

配 当

1 配当すべき金額（徴128）✤

(1) 税務署長は、次に掲げる金銭を**配当**しなければならない。

① 差押財産又は**特定参加差押不動産**の**売却代金**

② 有価証券、債権又は無体財産権等の差押えにより**第三債務者等**から**給付を受けた金銭**

③ **差押えた金銭**

④ **交付要求**により**交付を受けた金銭**

(2) 換価する財産の範囲等の規定により差押財産が**一括して公売**に付され、又は**随意契約により売却**された場合において、**各差押財産**ごとに上記(1)①に掲げる**売却代金の額を定める**必要があるときは、その額は、**売却代金の総額を各差押財産の見積価額に応じて按分して得た額**とする。各差押財産ごとの滞納処分費の負担についても、同様とする。

2 配当の原則（徴129）✤

(1) **配当を受ける金銭の範囲**（徴129①）

上記 1 ①又は②に掲げる金銭（以下「**換価代金等**」という）は、次に掲げる国税その他の債権に配当する。

① **差押えに係る国税**

② **交付要求**を受けた**国税、地方税及び公課**

③ **差押財産に係る質権、抵当権、先取特権、留置権**又は**担保のための仮登記**の被担保債権

④ **引渡命令**を受けた第三者等の権利保護規定による**損害賠償請求権**又は**借賃に係る債権**

(2) **差押さえた金銭及び交付要求により交付を受けた金銭の配当**（徴129②）

差押さえた金銭又は交付要求により**交付を受けた金銭**は、それぞれ**差押**又は**交付要求に係る国税**に充てる。

(3) **本税額への優先充当**（徴129⑥）

上記(1)又は(2)により国税に配当された金銭を国税（附帯税を除く。）及びその**延滞税又は利子税**に充てるべきときは、その金銭は、**まずその国税に充て**なければならない。

⑷ 配当残余金（徴129③）

　　上記⑴又は⑵により配当した金銭に**残余があるとき**は、その残余の金銭は、**滞納者に交付**する。

⑸ 仮登記等の取扱い（徴129④）

　　「担保のための仮登記により担保される債権」に対する配当については、担保のための仮登記に係る権利を抵当権とみなして、その仮登記等がされた時に抵当権の設定登記がされたものとみなして、配当を受けるべき順位を決定する。

⑹ 換価代金等が不足する場合（徴129⑤）

　　換価代金等が国税その他の債権の総額に**不足するとき**は、税務署長は法律の規定により配当すべき**順位及び金額を定めて配当**しなければならない。

<理論必勝法⑬>
〜差押の表記〜

　国税徴収法の条文を読むと差押えの表記が三通りあります。「差押」、「差押え」、さらに「差し押え」です。これは名詞であるとか動詞であるとかで使い分けが行われています。これも理論暗記の際に正確に頭に入れるのかと言えば、ここまで細かく使い分ける必要はないと考えてください。ちなみに本試験の問題文でも使い方が曖昧です。過去にも法律と異なる表記での出題がしばしばなされています。

　この差押えは、統一して「差押え」か「差押」で暗記、あるいは記述をして構いません。もちろん混同して使われていても問題はありませんので安心してください。

　これで少しは皆さんの暗記の負担が軽減されれば良いのですが、まだまだ暗記はこれからも果てしなく続くことになります。

10-2 滞納処分 ～配当(1)～

配当手続

1 債権現在額申立書の提出（徴130①）✤

交付要求のあった国税、地方税又は公課を**徴収する者**及び抵当権等又は前払借賃等の**債権を有する者**は、**売却決定の日の前日までに債権現在額申立書を税務署長に提出し**なければならない。

2 配当を受けるべき債権の調査・確認（徴130②）✤

税務署長は、**債権現在額申立書を調査**して国税その他の債権を**確認**するものとする。

ただし、**次に掲げる債権を有する者が債権現在額申立書を提出しないとき**は、税務署長の調査によりその額を確認するものとする。

(1) 登記がされた質権、抵当権若しくは先取特権により担保される債権又は担保のための仮登記により担保される債権

(2) 登記することができない質権若しくは先取特権又は留置権により担保される債権で知れているもの

(3) 引渡命令を受けた第三者が、滞納者に対して有する前払借賃に係る債権又は損害賠償請求権で知れているもの

3 登記のない被担保債権の取扱い（徴130③）✤

差押財産等に係る質権、抵当権、先取特権、留置権又は担保のための仮登記により担保される債権のうち 2 (1)及び(2)以外の債権を有する者が**売却決定の時**までに**債権現在額申立書を提出しないとき**は、その者は、**配当を受けることができない。**

4 配当計算書の作成と送付（徴131）✤

税務署長は、**配当をしようとするとき**は、配当を受ける債権、税務署長が確認した金額その他必要な事項を記載した**配当計算書を作成**し、換価財産の買受代金の納付の日から**3日以内**に、次に掲げる者に対する交付のため、**謄本を発送**しなければならない。

(1) **債権現在額申立書を提出した者**

(2) 債権現在額申立書の**提出がない**ため、税務署長が調査により金額を確認した債権を有する者

(3) **滞納者**

換価代金等の交付期日 （徴132） ✤

税務署長は、配当計算書の謄本を交付するときは、その謄本に換価代金等の交付期日を附記して告知しなければならない。

交付期日は、配当計算書の謄本を発送した日から起算して7日を経過した日としなければならない。

ただし、配当を受ける債権を有する者で、4(1)及び(2)に該当する者がいない場合には、その期間は短縮することができる。

6 換価代金等の交付 （徴133） ✤

税務署長は、換価代金等の交付期日に配当計算書に従って換価代金等を交付するものとする。

なお、換価代金等の交付期日までに配当計算書に関する異議の申出があった場合におけるその換価代金等の交付は、一定の定めによる。

<理論必勝法⑭>
～暗記できたと思ったら書いてみる～

暗記した国税徴収法の理論ですが、試験ではこれを実際に文章で記述しなければなりません。そこで暗記した理論を実際に記述するという学習も必要です。以前お話しましたが、暗記は自室のデスクの前で行うべきものではなく、通勤途中など自宅外で行うことを説明しました。この自宅以外で暗記した理論を自宅のデスクで実際に記述できるかどうかを検証することになります。

つまり脳が記憶していることが、本当に手を動かす作業に繋がっているかどうかの確認です。人間、頭に入っていることがそのまま行動に移せるとは限りません。我々は考えることと行動することは別物だということを普段から嫌というほど経験しています。

当然のことながら暗記した理論の記述でも同じことが起こります。つまり暗記したはずの理論の記述がなかなか完全にはできません。これは自分の暗記が曖昧だったということの証明です。したがって再度暗記をブラッシュアップすることになります。

この暗記と記述を何度も繰返すうちに、完全な理論のマスターができるということになります。つまり最終的には覚えて書くというサイクルで理論暗記は完成するということです。

10-3 滞納処分　〜配当(1)〜

配当の順位　〜一般的優先の原則〜

1　国税優先の原則（徴8）✤

　国税は、**納税者の総財産**について、別段の定がある場合を除き、**すべての公課その他の債権**に先だって徴収する。

2　強制換価手続の費用の優先（徴9）✤

　納税者の財産につき**強制換価手続**が行われた場合において、国税の**交付要求**をしたときは、その国税は、換価代金につき、その**手続に係る費用**に次いで徴収する。

3　直接の滞納処分費の優先（徴10）✤

　納税者の財産を国税の滞納処分により換価したときは、その**滞納処分に係る滞納処分費**は、その換価代金につき、**他の国税、地方税**その他の**債権**に**先だって**徴収する。

4　強制換価の場合の消費税等の優先（徴11）✤

(1)　強制換価の場合の消費税等の優先（徴11）

　　強制換価の場合の消費税等の徴収の特例等の規定により徴収する**消費税等**（その滞納処分費を含む。）は、差押先着手による国税の優先の規定等にかかわらず、その徴収の基因となった**移出**又は**公売**若しくは**売却**に係る物品の換価代金につき、他の国税、地方税その他の債権に**先だって**徴収する。

(2)　強制換価の場合の消費税等の徴収の特例（通39）

　　税務署長は、消費税等（消費税を除く。）の課される物品が強制換価手続により換価された場合において、国税に関する法律の規定により、その物品につき消費税等（その滞納処分費を含む。）の納税義務が成立するときは、その売却代金のうちから、その消費税等を徴収することができる。

10-4 滞納処分 ～配当(1)～

配当の順位～国税と地方税の調整～

1 差押先着手による国税の優先（徴12）✤

(1) 納税者の財産につき国税の滞納処分による差押をした場合において、他の国税又は地方税の**交付要求があったとき**は、その**差押に係る国税**は、その換価代金につき、その**交付要求に係る**他の**国税又は地方税**に**先だって徴収する**。

(2) 納税者の財産につき国税又は地方税の滞納処分による差押があった場合において、国税の**交付要求をしたとき**は、その**交付要求に係る国税**は、その換価代金につき、その**差押に係る**国税又は地方税（強制換価手続の費用の優先の規定の適用を受ける費用を除く。）に**次いで徴収する**。

2 交付要求先着手による国税の優先（徴13）✤

納税者の財産につき強制換価手続（破産手続を除く。）が行われた場合において、国税及び地方税の**交付要求があったとき**は、その換価代金につき、**先にされた交付要求に係る国税**は、**後にされた交付要求に係る国税又は地方税に先だって徴収し**、後にされた交付要求に係る国税は、先にされた交付要求に係る国税又は地方税に**次いで徴収する**。

3 担保を徴した国税の優先（徴14）✤

国税につき**徴した担保財産**があるときは、上記 1 又は 2 の規定にかかわらず、その国税は、その換価代金につき他の**国税及び地方税**に**先だって徴収する**。

4 譲渡担保財産から徴収する国税の特則（徴25②、徴令9①）✤

譲渡担保財産について、設定者の国税が担保権者の国税等と競合する場合には、設定者の国税を優先させる差押先着手及び交付要求先着手の特例が施行令に定められている。

10-5 滞納処分 ～配当(1)～

配当の順位～国税と被担保債権の調整～

1 法定納期限等（徴2①十、徴15）❖

法定納期限等とは、**法定納期限や例外的な時**を含めて、国税と被担保債権の**優先順位を定める基準**となる時期のことをいい、それぞれ定められている。

2 留置権の優先（徴21）❖

(1) 内容

留置権が納税者の財産上にある場合において、その財産を**滞納処分により換価**したときは、その国税は、その換価代金につき、その留置権の**被担保債権**に次いで徴収する。

この場合において、その債権は、質権、抵当権、先取特権又は法定納期限等以前にされた仮登記により担保される債権に先だって配当するものとする。

(2) 留置権が優先弁済を受けるための要件（徴21②、徴令4①③）

留置権の被担保債権の優先の規定は、その留置権者が、滞納処分の手続において、その行政機関等に対し、その留置権がある**事実を証明した場合**に限り適用する。

3 引渡命令を受けた第三者の前払借賃の優先（徴59①③）❖

(1) 前払借賃への優先配当（徴59③）

動産の引渡を命ぜられた**第三者**が、次のすべての要件に該当するときは、その第三者は、税務署長に対し、その動産の売却代金のうちから、**前払借賃に相当する金額で差押の日後の期間に係るもの**（最高3月分）の配当を請求することができる。

イ　賃貸借契約に基きその動産を占有していること

ロ　引渡命令によりその**契約を解除**したこと

ハ　引渡命令があった時前にその後の期間分の借賃を支払っていること

なお、前払借賃は、国税優先の原則の規定にかかわらず、**滞納処分費に次ぎ**、かつ、その動産上の留置権の被担保債権に次ぐものとして、配当することができる。

(2) 損害賠償請求権への配当（徴59①後段）

引渡命令を受けた第三者は、その契約の解除により滞納者に対して取得する**損害賠償請求権**については、その動産の**売却代金の残余のうちから**配当を受けることができる。

(1) 内容 （徴19①）

　次に掲げる先取特権が納税者の財産上にあるときは、国税は、その換価代金につき、その**先取特権により担保される債権**に次いで徴収する。

① **不動産保存**の先取特権

② **不動産工事**の先取特権

③ **立木**の先取特権

④ **商法等**の先取特権

⑤ 国税に優先する債権のため又は国税のために動産を保存した者の先取特権

(2) 先取特権がある事実の証明 （徴19②）

　上記(1)③から⑤まで（③の先取特権で登記をしたものを除く。）の規定は、その先取特権者が、**強制換価手続**において、その執行機関に対しその先取特権がある**事実を証明した場合**に限り適用する。

(3) 証明の時期 （徴令4①③）

　上記(2)の証明をしようとするときは、滞納処分にあっては、これらの規定に規定する事実を証する書面又はその事実を証するに足りる事項を記載した書面を**売却決定の日の前日まで**に提出しなければならない。

<＜理論必勝法⑮＞
〜丁寧に綺麗な文字で〜

　国税徴収法の採点者は、当然ですがこの科目の答案しか見ることはありません。したがって例えば法人税法の壮絶な状態の答案（？）などは想像も付きません。これは他の税法などでは時間制限から文字が丁寧でキレイであることより、その内容が重要でありとにかく乱雑な文字でも書くべくことを少しでも多く書かなければならないからです。したがって多少汚い文字や乱雑な答案もやむを得ないということになります。

　しかし国税徴収法の答案を見るとキレイな文字で丁寧に書かれた答案が多いのも事実です。これはつまり内容も当然のことながら、キレイで丁寧な答案というのも合格答案の必須条件になるということです。

　従って、すでに他の税法科目である法人税法や消費税法等に合格しているという方も「自分はこの文字でこれまでに税法科目に合格している。」などと考えないで謙虚な気持ちで答案の記述をするように心掛けてほしいと思います。

配当の順位～国税と被担保債権の調整～

1　法定納期限等以前にある不動産賃貸の先取特権等の優先（徴20）✢

　次に掲げる先取特権が、納税者の財産上に国税の**法定納期限等以前からあるとき**又は納税者がその先取特権のある**財産を譲り受けたとき**は、その国税は、その換価代金につき、その先取特権により担保される債権に次いで徴収する。

⑴　**不動産賃貸**の先取特権

⑵　**不動産売買**の先取特権

⑶　借地借家法 の先取特権

⑷　登記をした一般の先取特権

2　法定納期限等以前に設定された質権又は抵当権の優先（徴15、16）✢✢

⑴　**質権又は抵当権の優先**（徴15①、16）

　　納税者がその財産上に質権又は抵当権を設定している場合において、その**質権又は抵当権**が国税の**法定納期限等以前に設定されている**ものであるときは、その国税は、その換価代金につき、その質権又は抵当権により**担保される債権に次いで**徴収する。

⑵　**登記登録ができない質権の証明方法**（徴15②、徴令4①③）

　　上記⑴の規定は、**登記**（登録及び電子記録を含む。以下同じ。）をすることができる**質権以外の質権**については、質権者が、強制換価手続において、**執行機関**に対し、**質権設定の事実を証明した場合**に限り適用する。

　　滞納処分にあって、この証明をしようとするときは、その事実を証する書面又はその事実を証するに足りる事項を記載した書面を**売却決定の日の前日**までに税務署長に提出しなければならない。

　　この場合において、**有価証券を目的とする質権以外の質権**については、その証明は、次に掲げる書類によってしなければならない。

①　**公正証書**

②　**登記所**又は**公証人役場**において**日付のある印章**が押されている**私署証書**

③　**郵便法**の規定により**内容証明**を受けた証書

④　**公証人法**の規定により**交付**を受けた書面

(3) 証明をしない質権の優先権の否認 （徴15④）

　　上記2(1)の質権を有する者は、上記(2)の証明をしなかったため国税におくれる金額の範囲内においては、2(1)の規定により国税に優先する後順位の質権者に対して優先権を行うことができない。

3　譲受前に設定された被担保債権の優先　❖❖

(1) 譲受前の質権又は抵当権の優先 （徴17）

　　納税者が**質権又は抵当権の設定されている財産**を譲り受けたときは、国税は、その換価代金につき、その質権又は抵当権により担保される**債権に次いで**徴収する。

(2) 譲受前の不動産賃貸の先取特権等の優先 （徴20①）

　　納税者が**不動産賃貸の先取特権等のある財産**を譲り受けたときは、その国税は、その換価代金につき、その先取特権により担保される**債権に次いで**徴収する。

4　質権及び抵当権の優先額の限度額等 （徴18）　❖❖

(1) 優先額の限度 （徴18）

　　国税に先だつ質権又は抵当権により担保される**債権の元本の金額**は、その質権者又は抵当権者がその国税に係る**差押又は交付要求の通知を受けた時**における債権額を**限度**とする。

　　ただし、その国税に優先する他の債権を有する者の権利を害することとなるときは、この限りでない。

(2) 増額登記をした抵当権等の優先額 （徴18②）

　　質権又は抵当権により担保される**債権額又は極度額を増加する登記**がされた場合には、その**登記がされた時**において、その増加した**債権額又は極度額につき新たに質権又は抵当権が設定されたもの**とみなして、上記2の規定を適用する。

5　担保権付財産が譲渡された場合の国税の徴収 （徴22）　❖❖

(1) 内容 （徴22①）

　　次の**すべての要件に該当する**ときは、譲渡財産の強制換価手続において、その質権又は抵当権によって担保される債権につき、その質権者又は抵当権者が**配当を受けるべき金額のうちから**納税者の国税を**徴収する**ことができる。

① 　納税者が他に国税に充てるべき十分な財産がない場合において、その者がその国税の**法定納期限等後に登記した質権又は抵当権を設定した財産を譲渡**したこと

② 　納税者の財産につき**滞納処分を執行してもなおその国税に不足すると認められる**こと

(2) 第二次配当金額の計算（徴22②）

　　上記(1)により徴収することができる金額は、①の金額から②の金額を控除した額をこえることができない。

　① 本来の配当金額

　　譲渡された財産の換価代金から担保権の**被担保債権が配当を受けるべき金額**

　② 仮定配当金額

　　譲渡された財産を納税者の財産とみなし、その財産の換価代金につき、譲渡人である納税者の国税の**交付要求があったものとした場合**に、担保権者がその被担保債権について**配当を受けるべき金額**

(3) 徴収手続（徴22③〜⑤）

　① 税務署長は、上記(1)により国税を徴収しようとするときは、その旨を**質権者**又は**抵当権者に通知**しなければならない。

　② 税務署長は、上記(1)の財産について強制換価手続が行われた場合には、徴収することができる金額の国税につき、**執行機関**に対し、**交付要求**をすることができる。

　③ 税務署長は、上記(1)により納税者の国税を徴収するため、**質権者又は抵当権者**に**代位して**その**質権又は抵当権**を**実行する**ことができる。

<理論必勝法⑯>
〜黒インクor青インク〜

　これも受験生からの質問が多いのですが、インクの色は黒か青かどちらが良いか。また使用するペンはどんなものがお薦めかというものです。

　インクの色は黒です。青色はキレイですが、私の個人的印象では何となくですが内容が浅く軽い印象を受けます。また国税徴収法以外の他の税法科目の記述式答案を見てもインクの色は黒が主流です。

　また使用するペンですが、今時万年筆で書いた文字の答案というのは皆無です。皆さん何らかのペンで答案の記述をしているようです。これも自分の書き易いペンであることはもちろんですが採点者に読み易い文字に見えるツールを選択してください。実際に何種類かのペンで書いた答案を友人などに見てもらい、第三者の意見を参考にするというのも大事なことです。

　自分の文字の個性に合ったインクの色やペンの選択というのも記述式答案には重要だと考えてください。

担保のための仮登記

1　法定納期限等以前にされた担保のための仮登記の優先 ❖❖

(1)　**担保のための仮登記がある財産への差押**（徴23①）

　　国税の**法定納期限等以前**に納税者の財産につき、その者を登記義務者（登録義務者を含む。）として、**担保のための仮登記がされている**ときは、その国税は、その換価代金につき、その担保のための仮登記により**担保される債権**に**次いで**徴収する。

(2)　**譲受前の担保のための仮登記**（徴23③（徴17①準用））

　　納税者が**担保のための仮登記がされている財産**を譲り受けたときは、国税は、その換価代金につき、その担保のための仮登記により**担保される債権**に**次いで**徴収する。

(3)　**担保のための仮登記のある財産が譲渡された場合**（徴23③（徴22①②④⑤準用））

　　次のすべての要件に該当するときは、**納税者の国税**は、仮登記担保権者から、その者がその譲渡に係る財産の強制換価手続において、仮登記担保によって担保される**債権につき配当を受けるべき金額のうちから**徴収することができる。

①　納税者が他に国税に充てるべき十分な財産がない場合において、その者がその国税の**法定納期限等後**に担保のための仮登記をした財産を**譲渡**したこと

②　納税者の財産につき**滞納処分を執行してもなおその国税に不足すると認められる**こと

2　清算金債権の差押と物上代位権との調整 （徴23②） ❖❖

　　担保のための仮登記がされている納税者の財産上に、**次に掲げる担保権が設定されている**ときは、その国税は、その財産についての清算金に係る換価代金につき、**物上代位の規定**により権利が行使されたこれらの先取特権、質権及び抵当権並びに後順位の担保仮登記により担保される**債権**に**次いで**徴収する。

①　不動産保存の先取特権など

②　国税の法定納期限等以前からある不動産賃貸の先取特権等

③　国税の法定納期限等以前に設定された質権若しくは抵当権

④　国税の法定納期限等以前にされた後順位の担保のための仮登記

3 担保仮登記付財産の滞納処分（徴52の2）✤

① 清算金の支払前であるとき

担保のための仮登記がされている財産につき、滞納処分による差押えがあった場合において、その**差押えが清算金の支払の債務の弁済前**（清算金がないときは、**清算期間の経過前**）にされたものであるときは、担保仮登記の権利者は、その**仮登記に基づく本登記の請求**をすることができない。

② 清算金の支払後であるとき

担保のための仮登記がされている財産につき、滞納処分による差押えがあった場合において、その**差押えが清算金の支払の債務の弁済後**（清算金がないときは、**清算期間の経過後**）にされたものであるときは、担保仮登記の権利者は、その財産の所有権の取得をもって**差押債権者に対抗**することができる。

4 根担保目的の仮登記の効力（徴23④）✤

仮登記担保法に規定する仮登記担保契約で、消滅すべき金銭債務がその契約の時に特定されていないものに基づく仮登記及び仮登録（根仮登記担保という。）は、国税の滞納処分においては、その効力を有しない。

5 差押の通知（徴55、徴令22①）✤

仮登記がある財産を差し押さえたときは、税務署長は、**仮登記の権利者のうち知れている者**に対し、その旨その他必要な事項を**差押通知書により通知**しなければならない。

なお、その仮登記が**担保のための仮登記であると認められるとき**は、その旨を**差押通知書に記載**しなければならない。

6 換価の制限（徴90③）✤

上記 **5** の通知（担保のための仮登記に係るものに限る。）に係る差押えにつき**訴えの提起があったとき**は、その**訴訟の係属する間**は、その国税につき滞納処分による**財産の換価**をすることができない。

譲渡担保

1　要件（徴24①⑧）✦✦✦

次のすべての要件に該当するときは、**譲渡担保財産**から納税者の国税を**徴収**することができる。

(1)　納税者が国税を**滞納**していること

(2)　納税者が譲渡した財産（手形を除く。）でその譲渡により担保の目的となっているもの（以下「**譲渡担保財産**」という）があること

(3)　その者の財産につき**滞納処分を執行してもなお徴収すべき国税に不足する**と認められること

(4)　この**譲渡担保の設定**が国税の**法定納期限等後**にされたものであること

2　徴収手続（徴24②③）✦✦

(1)　**譲渡担保権者への告知等**（徴24②）

税務署長は、国税を徴収しようとするときは、**譲渡担保権者**に対し、徴収しようとする金額その他必要な事項を記載した**書面により告知**しなければならない。

この場合においては、その者の住所等の所在地を**所轄**する**税務署長及び納税者**に対し**その旨を通知**しなければならない。

(2)　**譲渡担保権者に対する滞納処分**（徴24③）

上記(1)の告知書を発した日から10日を経過した日までにその徴収しようとする金額が**完納されていない**ときは、徴収職員は、譲渡担保権者を第二次納税義務者とみなして、その**譲渡担保財産**につき**滞納処分を執行する**ことができる。

3　第二次納税義務の準用（徴24③）✦

(1)　**繰上差押**（徴32③準用）

譲渡担保権者に対する**告知書を発した日から10日を経過した日までに**、譲渡担保権者について繰上請求に該当する事実が生じたときは、直ちに滞納処分を執行することができる。

(2)　**求償権の行使**（徴32⑤準用）

譲渡担保財産から納税者の国税を徴収したときは、**譲渡担保権者**から納税者に対してする**求償権の行使**を妨げない。

4 換価の制限 （徴24③（徴32④、徴90③準用）、通105）❖

(1) 換価の順序 （徴24③（徴32④準用））

　　譲渡担保財産の換価は、その財産の価額が著しく減少するおそれがあるときを除き、納税者の財産を換価に付した後でなければ、行うことができない。

(2) 訴訟による換価の制限 （徴24③（徴90③準用））

　　譲渡担保権者が 2 (1)の告知又はこれらに係る国税に関する滞納処分につき訴えを提起したときは、その訴訟の係属する間は、その国税につき滞納処分による財産の換価をすることができない。

(3) 不服申立てによる換価の制限 （通105①）

　　譲渡担保財産の滞納処分による換価は、その財産の価額が著しく減少する恐れがあるとき、又は不服申立人からの別段の申し出があるときを除き、その不服申立てについての決定又は裁決があるまで、することができない。

5 納税者の財産として行った滞納処分の続行 （徴24④⑤⑥）❖

(1) 譲渡担保財産を納税者の財産として行った滞納処分の続行 （徴24④）

　　譲渡担保財産を納税者の財産としてした差押えは、上記 1 の要件に該当する場合に限り、譲渡担保財産に対する差押えとして滞納処分を続行することができる。この場合において、税務署長は、遅滞なく、上記 2 (1)の告知及び通知をしなければならない。

(2) 滞納処分の続行の通知 （徴24⑤⑥）

　　税務署長は、上記(1)により滞納処分を続行する場合において、譲渡担保財産が次の財産であるときは、それぞれに定める者に対し、納税者の財産としてした差押えを譲渡担保財産に対する差押えとして滞納処分を続行する旨を通知しなければならない。

① 第三者が占有する動産又は有価証券

　…動産又は有価証券を占有する第三者

② 債権又は第三債務者等のある無体財産権等（これらの財産の権利の移転につき登記を要するものを除く。）

　…第三債務者等

　　また、税務署長は、上記(1)により滞納処分を続行する場合において、質権者等に対する差押えの通知に掲げる者のうち知れている者があるときは、これらの者に対し、納税者の財産としてした差押えを上記 2 (2)による差押えとして滞納処分を続行する旨を通知しなければならない。

6　譲渡担保財産が確定的に譲渡担保権者に帰属した場合の続行（徴24⑦）✣

2(1)の告知又は5(1)の差押えをした後、納税者の財産の譲渡により**担保される債権**が債務不履行その他弁済以外の理由により**消滅した場合**においても、なお**譲渡担保財産**として**存続**するものと**みなして**、上記2～4の規定を適用する。

7　差押先着手による国税の優先の特例 ✣

(1)　差押先着手による優先の特例（徴令9①）

譲渡担保財産について、**設定者の国税**が**担保権者の国税等**と**競合する場合**において、その財産が**担保権者の国税等**につき**差押えられている**ときは、差押先着手による国税の優先の規定の適用については、その**差押がなかったものとみなし**、**設定者の国税**（その国税の交付要求が二以上あるときは、**最も先に交付要求をした国税**）につき、その**財産が差し押えられたものとみなす**。

この場合においては、その担保権者の国税等につき**交付要求**（他の担保権者の国税等の交付要求があるときは、これよりも先にされた交付要求）が**あったものとみなす**。

(2)　交付要求先着手による優先の特例（徴令9②）

譲渡担保財産について、**設定者の国税**が**担保権者の国税等**と**競合する場合**において、**担保権者の国税等の交付要求**（上記(1)によりあったものとみなされる担保権者の国税等の交付要求を含む。）の**後**にされた**設定者の国税の交付要求**（上記(1)の適用を受ける設定者の国税の交付要求を除く。）があるときは、交付要求先着手による国税の優先の規定の適用については、その設定者の国税の交付要求は、**担保権者の国税等の交付要求よりも先にされたものとみなす**。

8　譲渡担保財産の換価の特例（徴25①）✣

買戻権の登記等がされている譲渡担保財産で、その買戻権の登記等の権利者が滞納者であるときは、その差し押さえた買戻権の登記等に係る権利及び譲渡担保財産に対する滞納処分として差し押さえたその買戻権の登記等のある譲渡担保財産を一括して換価することができる。

11, 12-4　滞納処分〜配当(2)(3)〜

出題年度：'24、'21、'11　他 12 回

国税及び地方税と私債権の競合の調整

1　内容（徴26）❖❖❖

　強制換価手続において**国税**が他の国税、地方税又は公課（「**地方税等**」という。）及びその他の債権（「**私債権**」という。）と**競合する場合**において、国税徴収法等の規定により、国税が**地方税等**に**先だち**、私債権が**その地方税等におくれ**、かつ、その**国税に先だつとき**、又は国税が**地方税等におくれ**、私債権が**その地方税等に先だち**、かつ、その**国税におくれるとき**は、換価代金の配当については、**次に定めるところによる**

2　優先権の確定している債権等の先取り（徴26一）❖❖❖

　換価代金は、まず次の順序に従い、それぞれこれらに充てる。

⑴　**強制換価手続の費用**又は**直接**の**滞納処分費**

⑵　**強制換価**の場合の**消費税等**

⑶　**留置権**によって担保される債権

⑷　**引渡命令**を受けた第三者等の**前払賃料**

⑸　**不動産保存の先取特権**等によって担保される債権

3　租税公課グループ及び私債権グループへの配当（徴26二）❖❖

　国税及び地方税等並びに私債権（上記 2 の適用を受けるものを除く。）につき、**法定納期限等**又は設定、登記、譲渡若しくは成立の**時期の古いものから**それぞれ順次に国税徴収法又は地方税法その他の法律の規定を適用して**国税**及び**地方税等**並びに**私債権**に充てるべき**金額の総額**をそれぞれ定める。

4　個々の租税公課への配当（徴26三）❖❖❖

　上記 3 で定めた**国税**及び**地方税等**に充てるべき**金額の総額**を、**国税優先の原則**若しくは**差押先着手による国税の優先**等の規定又は**地方税法**その他の法律のこれらに相当する規定により、**順次国税**及び**地方税等**に充てる。

5　個々の担保権付私債権への配当（徴26四）❖

　上記 3 で定めた**私債権**に充てるべき**金額の総額**を、**民法**その他の法律の規定により順次**私債権**に充てる。

繰上請求

1 要件（通38①、徴47①）❖❖❖

次のすべての要件に該当する場合には、税務署長は、その**納期限を繰り上げ**、その納付を請求することができる。

⑴ 納付すべき**税額の確定した国税**で、その**納期限までに完納されない**と認められるものがあること

⑵ 次の①～⑥のいずれかの要件に該当すること

① 納税者の財産につき**強制換価手続が開始**されたとき（仮登記担保の実行通知がされたときを含む。）

② 納税者が死亡した場合において、その**相続人が限定承認**をしたとき

③ 法人である**納税者が解散**したとき

④ その納める義務が**信託財産責任負担債務**である国税に係る**信託が終了**したとき（信託の併合によって終了したときを除く。）

⑤ 納税者が**納税管理人を定めないで、国内に住所及び居所を有しない**こととなるとき

⑥ 納税者が**偽りその他不正の行為**により国税を免れ、若しくは**免れようとし**、若しくは国税の還付を受け、若しくは受けようとしたと認められるとき、又は納税者が国税の**滞納処分の執行を免れ**、若しくは**免れようとした**と認められるとき

納税者が、**繰上請求がされた国税**について、その請求に係る**期限までに完納しない**ときは、徴収職員は、滞納者の国税につき**督促を要しないで**、その財産を差し押えなければならない。

2 手続（通38②）❖

繰上請求は、税務署長が、納付すべき税額、その繰上げに係る期限及び納付場所を記載した**繰上請求書**（源泉徴収による国税で納税の告知がされていないものについては、その**請求をする旨を付記**した**納税告知書**）を**送達**して行う。

3 保証人等への準用（通52⑥、徴32③）❖

繰上請求の規定は、**保証人、第二次納税義務者**から国税を徴収する場合について**準用**する。

13-2 国税の保全

保全差押

1 要件（徴159①）✤✤

次のすべての要件に該当する場合には、税務署長は、その国税の納付すべき額の確定前に**保全差押金額を決定**することができ、その金額を限度として、その者の財産を**直ちに差し押える**ことができる。

(1) 納税義務があると認められる者が**不正に国税を免れ**、又は**国税の還付を受けた**ことの嫌疑に基づき、国税通則法の規定による**差押、記録命令付差押**若しくは**領置**又は刑事訴訟法の規定による**押収、領置**若しくは**逮捕を受けた**こと

(2) その処分に係る国税の納付すべき額の**確定後**においては、その国税の**徴収を確保することができない**と認められること

2 手続（徴159②③⑨）✤

(1) **国税局長の承認**（徴159②）

税務署長は、保全差押金額の決定をしようとするときは、あらかじめ、その所属する**国税局長の承認**を受けなければならない。

(2) **保全差押金額の通知**（徴159③）

税務署長は、保全差押金額を決定するときは、**保全差押金額を納税義務があると認められる者に書面で通知**しなければならない。

(3) **保全差押に代わる交付要求**（徴159⑨）

保全差押金額を決定した際に、**差し押えるべき財産に不足があると認められる**ときは、税務署長は、**差押に代えて交付要求**をすることができる。

この場合においては、その**交付要求**であることを**明らかに**しなければならない。

3 効力 ✤

(1) **税額確定後の効力**（徴159⑦）

保全差押又は担保の提供に係る国税につき納付すべき額の**確定があったとき**は、その差押又は担保の提供は、**その国税を徴収するためにされたものとみなす**。

(2) **換価の制限**（徴159⑧）

保全差押をした財産は、その差押に係る国税につき納付すべき額の**確定があった後**でなければ、**換価することができない**。

(3)　差押金銭の供託　(徴159⑩)

　　税務署長は、**保全差押をした金銭**（債権等の差押により第三債務者等から給付を受けた金銭を含む。）がある場合において、その差押に係る国税につき納付すべき額の確定がされていないときは、これを**供託**しなければならない。

4　差押の制限及び差押、担保の解除　❖

(1)　担保の提供　(徴159④)

　　保全差押金額の通知をした場合において、その納税義務があると認められる者が、その通知に係る保全差押金額に相当する**担保を提供**して、その**差押をしないことを求めた**ときは、徴収職員は、その**差押をすることができない**。

(2)　解除を要する場合　(徴159⑤)

　　徴収職員は、次の①又は②に該当するときは、保全差押金額に係る保全差押を、③に該当するときは、保全差押に係る担保をそれぞれ**解除**しなければならない。

①　保全差押を受けた者が、保全差押金額に係る**担保を提供**して、その**差押の解除を請求した**とき

②　保全差押金額の**通知をした日から６月を経過した日**までに、その差押に係る国税につき**納付すべき額の確定がない**とき

③　保全差押金額の**通知をした日から６月を経過した日**までに、保全差押金額について提供されている担保に係る国税につき**納付すべき額の確定がない**とき

(3)　解除ができる場合　(徴159⑥)

　　徴収職員は、保全差押を受けた者又は保全差押金額に係る担保を提供した者につき、その**資力その他の事情の変化**により、その**差押え又は担保の徴取の必要がなく**なったと認められることとなったときは、その差押え又は担保を**解除することができる**。

5　損害賠償　(徴159⑪)　❖

　　保全差押に係る国税の納付すべき額として**確定をした金額**が**保全差押金額に満たない**場合において、その差押を受けた者がその**差押により損害を受けた**ときは、国は、その**損害を賠償する責に任ずる**。

　　この場合において、その額は、その差押により通常生ずべき損失の額とする。

13-3 国税の保全

繰上保全差押

1 要件（通38①③）❖❖

　次の**すべての要件に該当する場合**には、税務署長は、その国税の**法定申告期限前**に、**繰上保全差押金額**（その確定すると見込まれる国税の金額のうちその徴収を確保するため、あらかじめ、滞納処分を執行することを要すると認める金額）を**決定**し、その金額を限度として、**その者の財産を直ちに差し押さえる**ことができる。

(1) 納税者が次のいずれかの**繰上請求の事実に該当する**こと

　① 納税者の財産につき**強制換価手続が開始された**とき（仮登記担保の実行通知がされたときを含む。）

　② 納税者が死亡した場合において、その**相続人が限定承認**をしたとき

　③ 法人である**納税者が解散**したとき

　④ その納める義務が**信託財産責任負担債務**である**国税に係る信託が終了**したとき（信託の併合によって終了したときを除く。）

　⑤ 納税者が**納税管理人を定めないで、国内に住所及び居所を有しないこととなる**とき

　⑥ 納税者が**偽りその他不正の行為により国税を免れ、若しくは免れ**ようとし、若しくは**国税の還付を受け、若しくは受け**ようとしたと認められるとき、又は納税者が国税の**滞納処分の執行を免れ、若しくは免れ**ようとしたと認められるとき

(2) 次に掲げる国税（納付すべき税額が確定したものを除く。）でその**確定後**においてはその国税の**徴収を確保することができない**と認められるものがあること

　① **納税義務の成立した国税**（課税資産の譲渡等に係る消費税を除く。）

　② **課税期間が経過した課税資産の譲渡等に係る消費税**

　③ **納税義務の成立した課税資産の譲渡等についての中間申告に係る**消費税

2 手続（通38④、徴159②）❖

(1) **国税局長の承認**（通38④（徴159②準用））

　　税務署長は、繰上保全差押金額の決定をしようとするときは、あらかじめ、その所属する**国税局長の承認**を受けなければならない。

(2) **繰上保全差押金額の通知**（通38④（徴159③準用））

　　税務署長は、繰上保全差押金額を決定するときは、**繰上保全差押金額を納税義務がある**と認められる者に書面で通知しなければならない。

(3) 繰上保全差押に代わる交付要求（通38④（徴159⑨準用））

　　繰上保全差押金額を決定した際に、**差し押えるべき財産**に**不足**があると認められるときは、税務署長は、**差押に代えて交付要求**をすることができる。

　　この場合においては、その**交付要求**であることを**明らか**にしなければならない。

3　効力　✤

(1) 税額確定後の効力（通38④（徴159⑦準用））

　　繰上保全差押又は担保の提供に係る国税につき納付すべき額の**確定**があったときは、その**差押又は担保の提供**は、**その国税を徴収するために**されたものとみなす。

(2) 換価の制限（通38④（徴159⑧準用））

　　繰上保全差押をした財産は、その差押に係る国税につき納付すべき額の**確定があった後**でなければ、**換価**することができない。

(3) 差押金銭の供託（通38④（徴159⑩準用））

　　税務署長は、**繰上保全差押をした金銭**（債権等の差押により第三債務者等から給付を受けた金銭を含む。）がある場合において、その差押に係る国税につき納付すべき額の確定がされていないときは、これを**供託**しなければならない。

4　差押の制限及び差押、担保の解除　✤

(1) 担保の提供（通38④（徴159④準用））

　　繰上保全差押金額の通知をした場合において、その納税義務があると認められる者が、その通知に係る繰上保全差押金額に相当する**担保を提供**して、その**差押をしないことを求めた**ときは、徴収職員は、その**差押をすることができない**。

(2) 解除を要する場合（通38④（徴159⑤準用））

　　徴収職員は、次の①又は②に該当するときは、繰上保全差押金額に係る繰上保全差押を、③に該当するときは、繰上保全差押に係る担保をそれぞれ**解除**しなければならない。

① 繰上保全差押を受けた者が、繰上保全差押金額に係る**担保を提供**して、その**差押の解除を請求**したとき

② 繰上保全差押金額の**通知をした日から10月を経過した日**までに、その差押に係る国税につき**納付すべき額の確定がない**とき

③ 繰上保全差押金額の通知をした日から10月を経過した日までに、繰上保全差押金額について提供されている担保に係る国税につき納付すべき額の確定がないとき

⑶ 解除ができる場合（通38④（徴159⑥準用））

徴収職員は、繰上保全差押を受けた者又は繰上保全差押金額に係る担保を提供した者につき、その**資力その他の事情の変化**により、その**差押え**又は**担保**の**徴取の必要がなくなった**と認められることとなったときは、その差押え又は担保を**解除することができる**。

5 損害賠償（通38④（徴159⑪準用））✤

繰上保全差押に係る国税の納付すべき額として**確定をした金額**が**繰上保全差押金額に満たない**場合において、その差押を受けた者がその**差押により損害を受けた**ときは、国は、その**損害を賠償する責に任ずる**。

この場合において、その額は、その差押により通常生ずべき損失の額とする。

＜理論暗記法⑰＞
～法律の試験であることが前提～

国税徴収法に限らないのですが税理士試験は法律の試験であることは間違いない事実です。つまり税法という法律に定められていることを税額計算したり、あるいは条文から記述式の解答をするということです。

計算は法律に従って行わなければ正解は出ませんから誤りは明らかです。しかし記述式の答案はその内容が多少条文通りでなくとも意味が大きく間違っていなければ正解であろうと考えるかもしれません。

たとえば各種財産の差押の基本中の基本ですが「不動産の差押の方法について」と問われればどうでしょう。答えは「差押書の送達と差押の登記の嘱託」です。しかし条文の第68条第1項を見ると、「不動産（～内容省略～）の差押は、滞納者に対する差押書の送達により行う。」また第3項には「税務署長は、不動産を差し押さたときは、差押の登記を関係機関に嘱託しなければならない。」とされています。

つまり頭に入っている「差押書の送達と登記の嘱託」に誤りはないのですが、条文にはもっと詳細に規定がされており、これが正しく記述できなければ正解ではないということなのです。

この自分の頭に入っている要点をより条文に近い、あるいは当理論集に沿った記述ができるようにすることが記述式解答では重要だということです。

繰上差押

1　要件（徴47②）♣♣

　国税の納期限後督促状を発した日から起算して10日を経過した日までに、督促を受けた滞納者につき次に掲げる繰上請求に該当する事実が生じたときは、徴収職員は、**直ちにその財産を差し押える**ことができる。

① 納税者の財産につき**強制換価手続**が開始されたとき（仮登記担保の実行通知がされたときを含む。）

② 納税者が死亡した場合において、その**相続人が限定承認**をしたとき

③ 法人である**納税者が解散**したとき

④ その納める義務が**信託財産責任負担債務**である国税に係る**信託が終了**したとき（信託の併合によって終了したときを除く。）

⑤ 納税者が**納税管理人を定めないで、国内に住所及び居所を有しない**こととなるとき

⑥ 納税者が**偽りその他不正の行為**により**国税を免れ**、若しくは**免れようとし**、若しくは**国税の還付を受け**、若しくは**受けようとした**と認められるとき、又は納税者が国税の滞納処分の執行を免れ、若しくは**免れようとした**と認められるとき

2　手続 ♣

　繰上差押の手続きは通常の差押と同様だが、差押調書又は差押書の備考欄に**繰上差押をした旨を付記**する。

3　繰上差押の効果 ♣

　繰上差押は、通常の差押と異なり、督促状を発した日から起算して10日を経過した日以前でも、滞納者の財産を差し押えることができる。

13-5 国税の保全

保全担保

1 要件（徴158①）✤

(1) 要件（徴158①）

次のすべての要件に該当するときは、税務署長は、その国税の担保として、金額及び期限を指定して、その者に**担保の提供を命ずる**ことができる。

① 納税者が**消費税等（消費税を除く。）を滞納**したこと

② **滞納後**その者に課すべきその国税の徴収を確保することができないと認められること

(2) 指定する金額（徴158②）

上記の規定により指定する金額は、次のうち**いずれか多い金額**とする。

① **提供を命ずる月の前月分**のその国税の額の**3倍**に相当する金額

② **前年**におけるその提供を命ずる月に対応する月分及び**その後2月分**のその国税の金額

(3) 担保提供の手続と期限（徴令55）

保全担保の命令は、一定の事項を記載した書面でしなければならない。

また、期限は、保全担保の提供命令に係る**書面を発する日から起算して7日を経過した日以後の日**としなければならない。ただし、納税者につき**繰上請求の事実**が生じたときは、この期限を**繰り上げる**ことができる。

2 担保の提供に応じない場合 ✤

(1) 抵当権の設定と通知（徴158③）

税務署長は、その国税（酒税を除く。）の担保の提供を命じた場合において、納税者がその**指定された期限**までにその**命じられた担保を提供しない**ときは、その国税に関し、その者の財産で**抵当権の目的となるもの**につき、**指定した金額**を限度として**抵当権を設定する**ことを書面で納税者に**通知**することができる。

(2) 抵当権のみなす設定（徴158④）

上記(1)の通知を受けた納税者は、抵当権を設定したものとみなす。

⑶ 抵当権設定の登記の嘱託 （徴158④⑤⑥）

　　税務署長は、⑴の通知をしたときは抵当権の設定の登記を関係機関に嘱託しなければならない。この嘱託に係る書面には、上記⑴の書面が納税者に到達したことを証する書面を添付しなければならないが、登記義務者の承諾を得ることを要しない。

③ 担保及び抵当権設定の解除 （徴158⑦⑧） ❖

　税務署長は、上記①又は②の担保の提供等があった場合において、担保命令に係る国税の**滞納がない期間が継続して3月に達した**ときは、その担保を**解除しなければならない**。

　また、税務署長は、担保の提供等があった納税者の**資力その他の事情の変化**により**担保の提供等の必要がなくなった**と認めるときは、**直ちに**その**解除**をすることができる。

＜理論暗記法⑱＞
〜忘れたらまた暗記する〜

　　受験生は誰でも皆、暗記した理論は残念ながら必ず忘れてしまいます。新しい理論暗記を次から次に進めますから、当然のように古い暗記理論から順番に忘れていきます。忘れることは老若男女同じです。ただ、この忘れてしまったことを「自分は頭が悪いから」とか「自分は忘れっぽいから」あるいは「歳のせいだ」などとネガティブに考えないでください。なぜなら、このようなことを考え始めると暗記や学習のモチベーションが下がるからです。

　　国税徴収法は新しい理論の暗記、イコールむかし暗記した理論の記憶喪失（？）が当然と考えてください。何のことはありません、忘れたのであればまた暗記すれば良いだけのことです。ただこの2度目の暗記は最初の暗記より短時間でより正確に暗記できます。つまり忘れたことが思わぬ効果を生むということです。

　　したがって受験のための理論暗記は覚えて忘れて、またこれを暗記するということを繰返すことが、この試験の永遠の課題だということです。

13-6　国税の保全

国税の担保

1　担保の種類（通50）✣

国税に関する法律の規定により提供される担保の種類は、次に掲げるものとする。

(1)　**国債及び地方債**

(2)　**社債**その他の**有価証券**で**税務署長等が確実と認めるもの**

(3)　**土地**

(4)　**建物等**で、**保険に附したもの**

(5)　**工場財団等**

(6)　税務署長等が確実と認める**保証人の保証**

(7)　**金銭**

2　担保の変更（通51）✢

(1)　**命令による担保の変更**

　　税務署長等は、国税につき**担保の提供があった場合**において、その担保として提供された**財産の価額**又は**保証人の資力の減少**その他の理由によりその国税の納付を**担保することができないと認めるとき**は、その担保を提供した者に対し、**増担保の提供、保証人の変更**その他の**担保を確保するため必要な行為**をすべきことを命ずることができる。

(2)　**承認による担保の変更**

　　国税について担保を提供した者は、**税務署長等の承認を受けて**、その担保を**変更**することができる。

(3)　**金銭担保による納付**

　　国税の担保として**金銭を提供した者**は、その金銭をもってその**国税の納付に充てる**ことができる。

3　担保の解除（通令17）✣

(1)　**要件**

　　国税庁長官等は、担保の提供があった場合において、次の要件に該当するときは、その担保を解除しなければならない。

①　担保の提供されている国税が完納されたこと

② 担保を提供した者が、担保の変更の承認を受けて、変更に係る担保を提供した
こと

③ その他の理由によりその担保を引き続いて提供させる必要がないこととなった
こと

(2) 手続

担保の解除は、担保を提供した者にその旨を書面で通知することによって行なう。

4 担保が物である場合の担保の処分（通52①④）❖❖

(1) 要件（通52①）

税務署長等は、**次のいずれかの要件に該当するとき**は、その担保として提供され
た金銭をその国税に充て、若しくはその提供された**金銭以外の財産を滞納処分の例
により処分**してその国税及びその**財産の処分費**に充てる。

① 担保の提供されている**国税**がその**納期限**（繰上げに係る期限及び納税の猶予等
に係る期限を含む。）までに**完納されないとき**

② 担保の提供がされている国税についての**納税の猶予等を取り消したとき**

(2) 滞納処分（通52④）

担保として提供された金銭又は担保として提供された財産の処分の代金をその国
税及び処分費に充てて**なお不足がある**と認めるときは、税務署長等は、その担保を
提供した者の他の財産について滞納処分を執行する。

5 保証人からの徴収手続 ❖

(1) 保証人から徴収できる場合（通52①）

税務署長等は、**次のいずれかに該当する場合**には、**保証人が保証している国税**に
ついて、**保証人にその国税を納付させる。**

① **保証人が保証をしている国税**がその**納期限**（繰上げに係る期限及び納税の猶予
等に係る期限を含む。）までに**完納されないとき**

② **保証人が保証をしている国税**についての**納税の猶予等を取り消したとき**

(2) 保証人への告知及び所轄税務署長への通知（通52②、通令19）

① 保証人への告知

税務署長等は、(1)の規定により**保証人に国税を納付させる場合**には、その者に
対し、納付させる金額、納付の期限、納付場所その他必要な事項を記載した**納付
通知書による告知**をしなければならない。

② 納付通知書の納付期限

　　納付通知書によって納付させる金額の期限は、**納付通知書を発する日の翌日から起算して1月を経過する日**とする。

③ 所轄税務署長への通知

　　上記(1)の場合においては、保証人の**住所又は居所の所在地を所轄する税務署長**に対し、**その旨を通知しなければならない**。

④ 納付催告書による督促（通52③）

　　保証人が**国税を納付の期限までに完納しない場合**には、税務署長等は、繰上請求により納付させる場合を除き、その者に対して、**納付催告書によりその納付を督促**しなければならない。

　　この場合、その納付催告書は、国税に関する法律に別段の定めがあるものを除き、その**納付の期限から50日以内に発する**ものとする。

(3) 督促後の滞納処分（通52④、徴47①③）

　　保証人が**督促を受け**、その督促に係る国税を**納付催告書を発した日から起算して10日を経過した日までに完納せず**、その**本来の納税者に対して滞納処分を執行してもなお不足があると認めるとき**は、保証人に対して**滞納処分を執行**する。

(4) 換価の制限

① 換価の順序（通52⑤）

　　上記(3)により**保証人に対して滞納処分を執行する場合**には、税務署長等は、**本来の納税者の財産を換価に付した後**でなければ、その保証人の財産を**換価に付することができない**。

② 訴訟による換価の制限（徴90③）

　　保証人が保証に係る**納税の告知、督促又はこれらに係る国税に関する滞納処分**につき**訴えを提起したとき**は、その**訴訟の係属する間**は、その国税につき**滞納処分による財産の換価を行うことができない**。

③ 不服申立による換価の制限（通105①）

　　保証人の財産の**滞納処分による換価**は、その財産の**価額が著しく減少するおそれがあるとき**、又は**不服申立人から別段の申出があるとき**を除き、その**不服申立てについての決定又は裁決があるまで**、することができない。

④ 繰上請求等の準用（通52⑥）

　　繰上請求、納税の猶予の規定及び納付委託の規定は、保証人に国税を納付させる場合について準用する。

13-7 国税の保全

納付委託

1 要件（通55①）✤

　納税者が国税を納付するため、**国税の納付に使用することができる証券以外の有価証券**を提供して、その**証券の取立て**とその取り立てた金銭による国税の納付を**委託しようとする場合**には、税務署の当該職員は、次のすべての要件に該当する場合に限り、その委託を受けることができる。

(1)　納税者が次のいずれかの国税を**納付するための委託**であること

　①　**納税の猶予又は滞納処分に関する猶予に係る国税**

　②　納付の委託をしようとする有価証券の**支払期日以後に納期限の到来する国税**

　③　①及び②以外の滞納国税で、その納付につき**納税者が誠実な意思を有し**、かつ、その納付の委託を受けることが国税の徴収上有利と認められるもの

(2)　委託する有価証券が**最近において確実に取り立てることができる**と認められること

(3)　その証券の**取立につき要する費用の額の提供があること**

2 納付委託の手続（通55②）✤

(1)　**納付受託証書**（通55②）

　税務署のその職員は、**委託を受けたときは、納付受託証書を交付**しなければならない。

(2)　**再委託**（通55③）

　納付委託があった場合において、必要があるときは、税務署のその職員は、**確実と認める金融機関にその取立て及び納付の再委託**をすることができる。

3 納付委託の効果 ✤

(1)　**担保の代用**（通55④）

　納付委託があった場合において、その委託に係る**有価証券の提供**により納税の猶予又は滞納処分に関する猶予に係る国税について、**担保の提供の必要がないと認め**られるに至ったときは、その**認められる限度においてその担保の提供があったもの**とすることができる。

(2) 延滞税の免除 （通63⑥）

　　納付委託をした場合において、納付委託の規定による**有価証券の取立て**及び**国税の納付の再委託**を受けた金融機関が、その**有価証券の取立て**をすべき日後にその国税の納付をした場合には、**同日の翌日からその納付があった日までの期間**に対応する部分の金額を限度として、その**延滞税を免除**することができる。

4 　納税義務の消滅 ✤

　納付委託は、直ちに納税義務が消滅するものではなく、**有価証券が現金化**し、それによって**国税が納付**されたときに、はじめて**納税義務が消滅**する。

　なお、納付委託をした証券が**決済されなかった場合**、その証券は**不渡り**となり**納付委託が解除**される。

＜コラム＠ランダム＞
〜税理士が保証人に〜

　納税の猶予や換価の猶予の適用に当たり、担保提供を必要とする規定があります。実務でも税務署側からこれらの適用の条件に、何らかの担保提供を求められる場合があります。もしこの時にクライアントに適当な財産がなければどうしたら良いでしょうか。

　ここは税理士としてクライアントのために一肌脱ぐ必要があります。つまり税理士が納税の猶予等の適用のための保証人になるということです。税務署ではこの税理士の保証人というものをひじょうに信頼します。本当は保証人の財産の有無などの信用調査も必要です。しかし税務署も税理士がクライアントのために保証人になるという申し出を無下に断ることはありません。

　でも、もし保証人になってクライアントが滞納国税を納付してくれなかったときにはどうしようという不安があるかもしれません。どうでしょうか暗記した理論に保証人の換価制限という規定がありませんでしたか。保証人の換価は本来の納税者の換価が行われた後でなければ開始されません。したがってこの換価制限の規定が盾になりますから税理士の財産差押や換価はクライアントによほどのことない限り行われることはありません。

　私もしばしばこの納税の保証人になっています。事実これによりクライアントの信頼関係を深めたという経験もあります。皆さんも合格後は是非、この納税の保証人になりクライアントとの関係を深めてほしいと思います。

第二次納税義務の徴収手続

1 第二次納税義務の徴収手続 ❖❖❖

(1) 納付通知（徴32①）

① 納付通知書による告知

税務署長は、納税者の国税を**第二次納税義務者から徴収しようとするときは、その者に対し、徴収しようとする金額、納付の期限その他必要な事項を記載した納付通知書により告知**しなければならない。

これによる納付の期限は、納付通知書を発する日の翌日から起算して1月を経過する日である。

② 税務署長への通知

納付通知書による告知をした税務署長は、**第二次納税義務者の住所又は居所の所在地を所轄する税務署長に対しその旨を通知**しなければならない。

(2) 納付催告（徴32②、徴令11③、徴47）

① 納付催告書による督促

第二次納税義務者がその国税を納付通知書に記載された**納付期限までに完納しないときは、税務署長は、繰上請求の場合を除き、納付催告書によりその納付を督促**しなければならない。

この場合、納税の猶予等別段の定めがあるものを除き、**納付催告書を納付の期限から50日以内に発する**ものとする。

② 差押

イ 第二次納税義務者が**督促**を受け、その**督促に係る国税をその納付催告書を発した日から起算して10日を経過した日までに完納しないときは、徴収職員は、第二次納税義務者の財産を差し押え**なければならない。

ロ 上記イの**納付催告書を発した日から10日を経過した日**までに、督促を受けた第二次納税義務者につき**繰上請求の一に該当する事実が生じたとき**は、徴収職員は、**直ちにその財産を差し押える**ことができる。

2 国税通則法の準用（徴32③）❖

繰上請求、納税の猶予並びに納付委託の規定は、第二次納税義務者について準用する。

3　換価の制限 ❖❖

⑴　換価の順序（徴32④）

第二次納税義務者の**財産の換価**は、その財産の価額が著しく減少するおそれがあるときを除き、**納税者の財産を換価に付した後**でなければ、**行うことができない**。

⑵　訴訟による換価の制限（徴90③）

第二次納税義務者が第二次納税義務の**告知**、**督促**又はこれらに係る**国税に関する滞納処分**につき**訴えを提起したとき**は、その**訴訟の係属する間**は、その国税につき**滞納処分による財産の換価**を行うことができない。

⑶　不服申立てによる換価の制限（通105①ただし書）

第二次納税義務者の財産の滞納処分による換価は、その財産の**価額が著しく減少するおそれがあるとき**、又は**不服申立人から別段の申出があるとき**を除き、その**不服申立てについての決定又は裁決があるまで**、することができない。

4　求償権（徴32⑤）❖

第二次納税義務の規定は、**第二次納税義務者から主たる納税者に対する求償権の行使**を妨げない。

＜理論暗記法⑲＞
～過去の出題を意識する～

本理論集には巻末に過去10年分の税理士試験の出題問題が掲載されています。その内容を見ると本理論集の出題、たとえば「交付要求の解除請求について説明しなさい。」というような出題はまれです。

これは最近の国税徴収法の特徴なのですが事例、応用形式の出題が主流になっているからです。したがって基本的規定をこの理論集で暗記して、その後でこの事例、応用形式の出題に関する対策もしなければならないことになります。この学習は試験直前の5～6月頃から開始します。つまりその時期までに基本的な理論の30題をある程度暗記ができている状態にしておくことが理想だということになります。

受験直前までに理論暗記を完成させれば良いというわけではなく、暗記もある程度早めにマスターしておく必要があるということも理解していてほしいと思います。

14-2 第二次納税義務

合名会社等の社員の第二次納税義務

1 成立要件（徴33）✤

次のすべての要件に該当するときは、無限責任社員は、その滞納に係る国税につき第二次納税義務を負う。

⑴ 合名会社若しくは合資会社又は監査法人等が国税を滞納した場合であること

⑵ 合名会社若しくは合資会社又は監査法人等の財産につき滞納処分を執行してもなおその徴収すべき額に不足すると認められること

2 第二次納税義務を負う者（徴33）✤

第二次納税義務者は、**合名会社又は合資会社及び監査法人等の無限責任社員**である。**無限責任社員が2人以上あるときは、連帯してその責を負う**。

3 第二次納税義務の範囲及び限度（徴33）✤

無限責任社員の第二次納税義務の範囲は、**滞納国税全額**である。

<理論暗記法⑳>
～暗記理論のグルグル回り～

　国税徴収法第26条のグルグル回りの理論とは直接関係はありませんが、以前受験に当たり暗記する理論はおおむね30題程度ということをお話ししました。暗記すべきこれらの問題が頭に入ったら、今度はこれら全部を何度も何度も繰返して復唱し、記述が出来るようにしなければなりません。30題程度ですが復唱するだけでもある程度の時間を要することになります。これを試験前日まで何度も何度も繰返すのですが、これを税理士受験界では"理論を回す"と表現したりします。ただこれを国税徴収法では理論暗記のグルグル回り（？）と呼びます。

　この理論のグルグル回りを何度も繰返していると最終的にはすべての理論がすらすらと復唱でき、また記述することもできるようなります。この状態になれば暗記は完成し合格圏内と考えて良いでしょう。

　ただし、これは受験間近の7月になった頃です。慌てずにそれまでに、少しづつ理論暗記を完成させていってほしいと思います。

清算人等の第二次納税義務 🔊

1 成立要件（徴34①）❖❖❖

次のすべての要件に該当するときは、清算人及び残余財産の分配又は引渡しを受けた者（無限責任社員の第二次納税義務の規定の適用を受ける者を除く。）は、その滞納に係る国税につき第二次納税義務を負う。

(1) 法人が解散したこと

(2) その法人に課されるべき、又はその法人が納付すべき国税を納付しないで残余財産の分配又は引渡しをしたこと

(3) その法人に対し滞納処分を執行してもなおその徴収すべき額に不足すると認められること

2 第二次納税義務を負う者（徴34①）❖❖❖

清算人等の第二次納税義務者は、清算人及び残余財産の分配又は引渡しを受けた者（無限責任社員を除く。）である。

3 第二次納税義務の範囲及び限度（徴34①）❖❖❖

下記の区分に応じ、それぞれの額を限度とする。

(1) 清算人…分配又は引渡しをした財産の価額の限度

(2) 残余財産の分配又は引渡しを受けた者…その受けた財産の価額の限度

清算受託者等の第二次納税義務

1 成立要件 （徴34②） ✤

次のすべての要件に該当するときは、清算受託者等は、その滞納に係る国税につき第二次納税義務を負う。

(1) 清算の開始原因に規定する信託が終了した場合において、その信託に係る清算受託者に課されるべき、又はその清算受託者が納付すべき国税を納付しないで信託財産に属する財産を残余財産受益者等に給付をしたこと

(2) 清算受託者に対し、滞納処分を執行してもなおその徴収すべき額に不足すると認められること

2 第二次納税義務を負う者 （徴34②） ✤

清算受託者等の第二次納税義務を負う者は、特定清算受託者及び残余財産受益者等である。

3 第二次納税義務の範囲及び限度 （徴34②） ✤

下記の区分に応じ、それぞれの額を限度とする。

(1) 特定清算受託者…給付をした財産の価額を限度

(2) 残余財産受益者等…給付を受けた財産の価額を限度

14-5 第二次納税義務

出題年度：'17、'14、'01

同族会社の第二次納税義務

1　成立要件（徴35）❖❖

　次のすべての要件に該当するときは、同族会社は、その滞納に係る国税につき第二次納税義務を負う。

⑴　滞納者が、その者を判定の基礎となる株主又は社員として選定した場合に同族会社の株式又は出資を有していること。

　　ただし、滞納国税の法定納期限の1年以上前に取得したものを除く。

⑵　上記⑴の株式又は出資につき次に掲げる理由があること

　①　その株式又は出資を再度換価に付してもなお買受人がないこと

　②　その株式若しくは出資の譲渡につき法律・定款に制限があること

　③　株券の発行がないため、これらを譲渡することにつき支障があること

⑶　滞納者の財産（上記⑴の株式又は出資を除く。）につき滞納処分を執行してもなおその徴収すべき額に不足すると認められること

2　第二次納税義務を負う者（徴35）❖❖

第二次納税義務を負う者は、上記1の要件に該当する同族会社である。

3　第二次納税義務の範囲及び限度（徴35）❖❖

滞納者の有する同族会社の株式又は出資の価額を限度とする。

14-6 第二次納税義務

同族会社等の行為計算否認等による課税額の第二次納税義務

1 成立要件（徴36三）❖❖

次のすべての要件に該当するときは、2 の者は、その滞納に係る国税につき第二次納税義務を負う。

(1) 滞納者が同族会社等又は組織再編成に係る行為・計算の否認の規定により課された国税を滞納していること

(2) (1)の国税につき、滞納処分を執行してもなおその徴収すべき額に不足すると認められること

2 第二次納税義務を負う者（徴36三）❖❖

行為計算否認の第二次納税義務を負う者は、行為計算否認の規定により否認された納税者の行為（否認された計算の基礎となった行為を含む。）につき、利益を受けたものとされる者である。

3 第二次納税義務の範囲及び限度（徴36三）❖

否認された納税者の行為について、その受けた利益の額を限度とする。

無償又は著しい低額の譲受人等の第二次納税義務

1 成立要件（徴39、徴令14）✤✤✤

次のすべての要件に該当するときは、無償又は著しい低額の譲受人等は、その**滞納に係る国税**につき**第二次納税義務**を負う。

(1) 滞納者がその財産につき行った**無償又は著しい低い額の対価による譲渡**（担保の目的でする譲渡を除く。）、**債務の免除**その他第三者に利益を与える処分（国及び公共法人に対するものを除く。以下「**無償譲渡等の処分**」という。）をしたこと

(2) (1)の処分が、その国税の**法定納期限の１年前の日以後にされたもの**であること

(3) 滞納者の国税につき**滞納処分を執行**（租税条約等による共助対象国税の徴収の要請をした場合を含む。）**してもなおその徴収すべき額に不足すると認められる**こと

(4) 上記(3)の不足すると認められることが、**上記の処分に基因する**と認められること

2 第二次納税義務を負う者（徴39）✤✤✤

第二次納税義務者は、無償譲渡等の処分により**権利を取得**し、又は**義務を免れた者**である。

3 第二次納税義務の範囲及び限度（徴39）✤✤✤

(1) 無償譲渡等の処分の時に**滞納者の親族その他の特殊関係者**である場合

…無償譲渡等の処分により**受けた利益を限度**とする。

(2) (1)以外の者である場合

…無償譲渡等の処分により**受けた利益が現に存する**限度とする。

Ch 1
Ch 2
Ch 3
Ch 4
Ch 5
Ch 6
Ch 7
Ch 8
Ch 9
Ch 10
Ch 11
Ch 12
Ch 13
Ch 14
Ch 15

4 詐害行為取消権 ✤

(1) 要件（民424①）

　次の場合には、債権者は、債務者が債権者を害することを知ってした**法律行為**の取消しを裁判所に請求することができる。

① 納税者が国税を害する法律行為をしたこと

② 納税者、受益者又は転得者が悪意であること

(2) 取消権の行使

　国の名において、受益者又は転得者を被告とする訴えにより、納税者と受益者との間の行為の取消しのみを求め、それが適当でない場合は、受益者に対して財産の返還金銭賠償を請求できる。

(3) 取消権の効果

　詐害行為取消の効果は、訴訟当事者間における相対的なもので、すべての債権者の利益のためにその効力を生じる。

(4) 消滅時効

　詐害行為取消権は、債権者が取消しの原因を**覚知した時から2年**、**詐害行為の時から10年**のいずれか早い方の期間の経過によって、**時効により消滅**する。

　債権者は、自己の債権を保全するため、債務者に属する権利を行使することができる。ただし、債務者の一身に専属する権利は、この限りでない。

(5) 権利の行使

　債権者は、その債権の期限が到来しない間は、裁判上の代位によらなければ、前項の権利を行使することができない。ただし、保存行為は、この限りでない。

　債権者は、債務者が債権者を害することを知ってした法律行為の取消しを裁判所に請求することができる。

14-8　第二次納税義務

人格のない社団等から財産の払戻し等を受けた者の第二次納税義務

1　成立要件（徴41②）✤

　次のすべての要件に該当するときは、人格のない社団等から財産の払戻し等を受けた者は、その滞納に係る国税につき第二次納税義務を負う。

(1)　滞納者である人格のない社団等が財産の払戻又は分配をしたこと（清算人等の第二次納税義務の規定の適用がある場合を除く。）

(2)　上記(1)の払戻し又は分配が、滞納国税の法定納期限の1年前の日後にされていること

(3)　人格のない社団等の財産（第三者名義の財産を含む。）につき滞納処分を執行してもなおその徴収すべき額に不足すると認められること

2　第二次納税義務を負う者（徴41②）✤

　人格のない社団等から財産の払戻し等を受けた者の第二次納税義務を負う者は、人格のない社団等から払戻又は分配を受けた者である。

3　第二次納税義務の範囲及び限度（徴41②）✤

　その払戻し又は分配を受けた財産の価額を限度とする。

14-9　第二次納税義務

人格のない社団等の財産の名義人の第二次納税義務

1　成立要件（徴41①）✤

　次のすべての要件に該当するときは、人格のない社団等の財産の名義人は、その**滞納に係る国税**につき**第二次納税義務**を負う。

　⑴　人格のない社団等が**国税を滞納していること**

　⑵　人格のない社団等の財産で、**第三者が名義人となっている**ため、その**第三者に法律上帰属するとみられる財産があること**

　⑶　人格のない社団等の財産（上記⑵を除く。）につき**滞納処分を執行してもなおその徴収すべき額に不足すると認められること**

2　第二次納税義務を負う者（徴41①）✤

　人格のない社団等の財産の名義人の第二次納税義務者は、**人格のない社団等に帰属する財産の名義人となっている第三者**である。

3　第二次納税義務の範囲及び限度（徴41①）✤

第三者に法律上帰属するとみられる財産を限度とする。

14-10　第二次納税義務

実質課税額等の第二次納税義務

1　成立要件（徴36一二）❖❖❖

　次のすべての要件に該当するときは、その滞納に係る国税につき**第二次納税義務**を負う。

(1) 滞納者が**実質所得者課税の原則等の規定**により課された**国税**又は実質判定の規定により課された**資産の貸付けに係る消費税**を滞納していること

(2) (1)の国税につき、**滞納処分を執行してもなおその徴収すべき額に不足すると認められること**

2　第二次納税義務を負う者（徴36一二）❖❖❖

　実質課税額等の第二次納税義務を負う者は、所得税法や法人税法の実質所得者課税の原則の規定により課された国税の賦課の基因となった**収益が法律上帰属するとみられる者**又は消費税法の資産の譲渡等を行った者の実質判定の規定により課された消費税の賦課の基因となった**貸付けを法律上行ったとみられる者**である。

3　第二次納税義務の範囲及び限度（徴36一二）❖❖❖

　実質所得者課税の原則等の規定により課された国税の賦課の基因となった**収益が生じた財産**（取得財産を含む。）又は実質判定の規定により課された消費税の賦課の基因となった**貸付けに係る財産**（取得財産を含む。）を限度とする。

共同的な事業者の第二次納税義務

1 成立要件（徴37）✤

次のすべての要件に該当するときは、その滞納に係る国税につき第二次納税義務を負う。

(1) 次に掲げる者が、納税者の事業の遂行に欠くことができない重要財産を有していること

① 納税者が個人である場合

その者と生計を一にする配偶者その他の親族でその納税者の経営する事業から所得を受けているもの

② 納税者が同族会社である場合

その判定の基礎となった株主又は社員

(2) 重要財産に関して生ずる所得が納税者の所得となっていること

(3) 納税者が重要財産の供されている事業に係る国税を滞納していること

(4) 滞納者の国税につき滞納処分を執行してもなおその徴収すべき額に不足すると認められること

2 第二次納税義務を負う者（徴37）✤

(1) 納税者が個人の場合

その者と生計を一にする配偶者その他の親族でその納税者の経営する事業から所得を受けているもの

(2) 納税者が同族会社の場合

その判定の基礎となった株主又は社員

3 第二次納税義務の範囲及び限度（徴37）✤

納税者の事業の遂行に欠くことができない重要財産（取得財産を含む。）を限度とする。

事業を譲り受けた特殊関係者の第二次納税義務

1 成立要件（徴38）❖❖

次のすべての要件に該当するときは、その滞納に係る国税につき第二次納税義務を負う。

(1) 納税者が、滞納に係る国税の**法定納期限の1年前の日後**に、事業を納税者と生計を一にする親族その他納税者と特殊な関係にある個人又は被支配会社で一定のものに譲渡したこと

(2) その譲受人が、**同一又は類似の事業**を営んでいること

(3) その納税者が**譲渡した事業に係る国税を滞納**していること

(4) 上記(3)の国税につき**滞納処分を執行してもなおその徴収すべき額に不足すると認められること

2 第二次納税義務を負う者（徴38）❖❖

第二次納税義務者は、納税者から事業を譲り受けた生計を一にする親族その他納税者と特殊な関係のある個人又は被支配会社で一定のものである。

3 第二次納税義務の範囲及び限度（徴38）❖❖

譲受財産の価額を限度とする。

不正の行為により国税を免れた株式会社の役員等の第二次納税義務

1 成立要件（徴40）✤

下記のすべてに該当するときは、その会社の役員等は、その滞納に係る国税の第二次納税義務を負う。

(1) 株式会社、合資会社又は合同会社が、偽りその他不正の行為により国税を免れ、又は国税の還付を受けた国税を納付していないとき

(2) その偽りその他不正の行為によって、株式会社、合資会社若しくは合同会社の財産のうちから、その役員等に移転しているものがあるとき

(3) その会社に滞納処分を執行してもなお徴収すべき額に不足すると認められること

2 第二次納税義務を負う者✤

その偽りその他不正の行為をした株式会社の役員、又は合資会社若しくは合同会社の業務を執行する有限責任社員（その者を判定の基礎として選定した場合に被支配会社に該当する場合。以下「特定役員等」という。）が第二次納税義務を負うこととなる。

3 第二次納税義務の範囲及び限度✤

下記の金額のいずれか低い金額を限度とする。

(1) その偽りその他不正の行為により免れ、若しくは還付を受けた国税の額

(2) その株式会社、合資会社若しくは合同会社の財産のうち、その行為後に特定役員等が移転を受けたもの及びその特定役員等が移転をしたもの（通常の取引の条件に従って移転したものを除く。）の価額

15-1 その他の論点

徴収行政

1　国税の徴収の所轄庁（通43）❖

(1)　原則

　　国税の徴収は、その徴収に係る処分の際におけるその国税の納税地（以下「**現在の納税地**」という。）を所轄する**税務署長**が行う。ただし、保税地域からの引取りに係る消費税等その他税関長が課する消費税等については、その消費税等の納税地を所轄する税関長が行う。

(2)　特例（通43②）

　　所得税、法人税、地方法人税、相続税、贈与税、地価税、課税資産の譲渡等に係る消費税、電源開発促進税又は国際観光旅客税については、次のいずれかに該当する場合には、それぞれに定める税務署長は、上記(1)の規定にかかわらず、**それぞれに規定する国税**について徴収に係る処分をすることができる。

　①　**更正又は決定の所轄庁の特例**の規定に基づく更正若しくは決定又は賦課決定の所轄庁の特例の**賦課決定があった場合**において、これらの処分に係る国税につき、これらの処分をした後においても引き続きこれらに規定する事由があるとき
　　　…その処分をした税務署長

　②　これらの国税につき**納付すべき税額が確定した時以後**にその納税地に**異動があった場合**において、その異動に係る納税地で現在の納税地以外のもの（**旧納税地**という。）を所轄する税務署長においてその異動の事実が知れず、又はその異動後の納税地が判明せず、かつ、その知れないこと又は判明しないことにつき**やむを得ない事情があるとき**
　　　…旧納税地を所轄する税務署長

(3)　徴収の引継ぎ（通43③～⑤）

　①　国税局長の引継
　　　国税局長は、必要があると認めるときは、その**管轄区域内の地域を所轄する税務署長**からその徴収する国税について**徴収の引継ぎ**を受けることができる。

　②　税務署長又は税関長の引継ぎ
　　　税務署長又は税関長は、必要があると認めるときは、その徴収する国税について**他の税務署長又は税関長に徴収の引継ぎ**をすることができる。

③　通知

　　上記①、②の規定により徴収の引継ぎがあったときは、その**引継ぎを受けた国**
税局長、税務署長又は税関長は、遅滞なく、その旨をその**国税を納付すべき者**に
通知するものとする。

2　滞納処分の引継ぎ（徴182）❖❖

(1)　滞納処分の執行の原則（徴182①）

　　税務署長又は国税局長は、その**税務署又は国税局所属の徴収職員**に滞納処分を執
行させることができる。

(2)　滞納処分の引継ぎ（徴182②③）

　　①　税務署長又は国税局長は、差し押さえるべき財産又は差し押さえた財産がその
管轄区域外にあるときは、その税務署長又は国税局長は、その**財産の所在地を所**
轄する税務署長又は国税局長に滞納処分の引継ぎをすることができる。

　　②　税務署長は、差押財産又は参加差押不動産を**換価に付するため必要がある**と認
めるときは、他の税務署長又は国税局長に**滞納処分の引継ぎをする**ことができる。

(3)　事後手続（徴182④）

　　滞納処分の引継ぎがあったときは、引継ぎを受けた税務署長又は国税局長は、遅
滞なく、その旨を**納税者に通知する**ものとする。

15-2　その他の論点

税務調査

1　事前通知（通74の9、通74の10）✤

(1)　事前通知（通74の9）

　　税務署長等は、国税庁等の職員に実地の調査において質問検査等を行わせる場合には、あらかじめ、納税義務者（税務代理人を含む。）に対し、その旨及び調査の目的などの事項を通知するものとする。

(2)　調査の開始日時と開始場所の変更協議（通74の9②）

　　税務署長等は、通知を受けた納税義務者から合理的な理由を付して日時又は場所について変更するよう求めがあった場合には、これらについて協議するよう努めるものとする。

(3)　事前通知を要しない場合

　　上記(1)にかかわらず、税務署長等が納税義務者の申告若しくは過去の調査結果の内容などにより、違法又は不当な行為を容易にし、正確な課税標準等又は税額等の把握を困難にするおそれがあると認める場合などには、事前通知を要しない。

2　身分証明の提示（通74の13）✤

　国税庁等の職員は、質問、検査等の実施をする場合等には、その身分を示す証明書を携帯し、関係人の請求があったときは、これを提示しなければならない。

3　質問事項への回答と帳簿書類の提示又は提出（通74の2～6）✤

(1)　所得税・法人税・地方法人税、消費税に対する調査（通74の2）

①　質問検査権

　　国税庁等の職員は、国税に関する調査について必要があるときは、その国税の調査の区分に応じ、それぞれに定める者に質問し、その者の事業に関する帳簿書類その他の物件を検査し、又はその物件の提示若しくは提出を求めることができる。

②　対象者

イ　所得税

i　所得税の納税義務がある者若しくは納税義務があると認められる者又は確定損失申告等を提出した者

ⅱ　支払調書、源泉徴収票又は信託の計算書等を提出する義務がある者

ⅲ　上記ⅰの者に金銭若しくは物品の給付をする又は給付を受ける権利義務がある者又はあったと認められる者

ロ　法人税・地方法人税

ⅰ　法人

ⅱ　上記ⅰに掲げる者に対し、金銭の支払い若しくは物品の譲渡についての権利義務があると認められる者

ハ　消費税

ⅰ　消費税の納税義務がある者若しくは納税義務があると認められる者又は還付を受けるための申告書を提出した者

ⅱ　上記ⅰに掲げる者に金銭の支払若しくは資産の譲渡等の権利義務があると認められる者

⑵　**相続税・贈与税に対する調査（通74の３）**

国税庁等の職員は、相続税若しくは贈与税に関する調査若しくは相続税若しくは贈与税の徴収について必要があるときは、一定の者に質問し、財産若しくは帳簿書類その他の物件を検査し、又はその物件の提示若しくは提出を求めることができる。

⑶　**その他の国税に対する調査（通74の４～６）**

上記⑴、⑵の他、酒税やたばこ税等の消費税その他一定の国税についても質問検査権が認められている。

４　帳簿書類の留置きと返還（通74の７）❀

国税庁等の職員は、国税の調査について必要があるときは、その調査において提出された物件を留め置くことができる。

なお、留め置いた物件につき留め置きの必要がなくなったときは遅滞なく、これを返還しなければならない。

５　権限の解釈（通74の８）❀

国税庁等の職員の質問検査権等の規定による職員の権限は、犯罪捜査のために認められたものと解してはならない。

６　事業を行う者の組織に対する諮問及び官公署等への協力要請（通74の12）❀

国税庁等の職員は、所得税等に関する調査について必要があるときは、事業を行う者の組織する団体等に対する諮問及び官公署等に協力要請をすることができる。

7　更正決定をすべきと認められない場合（通74の11①）❖

　税務署長等は、国税に関する実地の調査を行った結果、更正決定等をすべきと認められない場合には、納税義務者であって調査において質問検査等の相手方となった者に対し、その時点において更正決定等をすべきと認められない旨を書面により通知するものとする。

8　更正決定をすべきと認められる場合（通74の11②③、通24、通28）❖

⑴　説明

　　国税に関する調査の結果、更正決定等をすべきと認められる場合には、国税庁等の職員は納税義務者に対し、その調査結果の内容（更正決定等をすべきと認めた額及びその理由を含む。）を説明するものとする。

⑵　修正申告等の勧奨

　　国税庁等の職員は、納税義務者に対し修正申告又は期限後申告を勧奨することができる。なお、その調査の結果に関しその納税義務者が納税申告書を提出した場合には不服申立てをすることはできないが更正の請求をすることはできる旨を説明するとともに、その旨を記載した書面を交付しなければならない。

　　なお、税務署長等は、納税義務者がこれらの勧奨に応じなかった場合には、その者に対して更正又は決定の処分を行い、その通知書を送付する。

9　税務代理人への通知（通74の11⑤）❖

　実地の調査により質問検査等を行った納税義務者に税務代理人がある場合において、その納税義務者の同意があるときは、納税義務者への通知等に代えて、税務代理人への通知等を行うことができる。

10　再調査（通74の11⑥）❖

　上記7の更正決定をすべきと認められない場合の通知をした後、又は上記8の調査の結果に基づき納税義務者から修正申告書等の提出があった後若しくは更正決定等をした後においても、国税庁等の職員は、新たに得られた情報に照らし非違があると認めるときは、その通知を受け、又は修正申告書若しくは期限後申告書の提出等をした納税義務者に対し、質問検査等を行うことができる。

11　権利救済手続（通75）❖

　更正や決定の処分を受けた納税者は、その処分に不服がある場合は不服申立てをすることができる。

不服審査と訴訟

1　不服申立て✤

⑴　不服申立てができる者（通75①）

　国税に関する法律に基づく処分で次に掲げるものに不服がある者は、それぞれに定める不服申立てをすることができる。

①　税務署長、国税局長又は税関長がした処分（②③の処分を除く。）

　…　次に掲げる不服申立てのうちその処分に不服がある者の選択するいずれかの不服申立て

　イ　その処分をした税務署長、国税局長又は税関長に対する再調査の請求

　ロ　国税不服審判所長に対する審査請求

②　国税庁長官がした処分

　…　国税庁長官に対する審査請求

③　国税庁、国税局、税務署及び税関以外の行政機関の長又はその職員がした処分

　…　国税不服審判所長に対する審査請求

⑵　不服申立期間（通77①）

①　**不服申立て**（再調査の請求後にする審査請求を除く。）は、原則として**処分があったことを知った日の翌日から起算して3月以内**にしなければならない。ただし、正当な理由があるときは、この限りでない。

②　上記⑴①イ等一定の審査請求は、決定の手続等の規定による再調査決定書の謄本の送達があった日の翌日から起算して1月を経過したときは、することができない。ただし、正当な理由があるときは、この限りでない。

③　不服申立ては、処分があった日の翌日から起算して1年を経過したときは、することができない。ただし、正当な理由があるときは、この限りでない。

⑶　標準審理期間（通77の2）

　税務署長等は、不服申立てがその事務所に到達してからその不服申立てについての決定又は裁決をするまでに通常要すべき標準的な期間を定めるよう努めるとともに、これを定めたときは、その事務所における備付けその他の適当な方法により公にしておかなければならない。

2　再調査の請求 ✤

⑴　再調査の請求（通81、82）

　国税の賦課徴収に関して税務署長や国税局長等の行った処分に不服のある者（「再調査の請求人」という。）は、処分をした者（「再調査審理庁」という。）に対して再調査の請求をすることができる。

⑵　再調査の請求書（通81①②）

①　再調査の請求は、一定の事項を記載した再調査の請求書を提出してしなければならない。

②　不服申立期間に規定する期間の経過後に再調査の請求をする場合には、正当な理由を記載しなければならない。

⑶　再調査審理庁（通81③④）

①　再調査審理庁は、再調査の請求書が上記⑵その他一定の事項に違反する場合には、相当の期間を定め、その期間内に不備を補正すべきことを求めなければならない。この場合において、不備が軽微なものであるときは、再調査審理庁は、職権で補正することができる。

②　再調査の請求人は、①の補正を求められた場合には、その再調査の請求に係る税務署等に出頭して補正すべき事項について陳述等をする。

⑷　決定（通83、84）

①　決定の態様

　再調査審理庁は、決定により、再調査の請求が法定の期間経過後にされたものである等不適法であるときは、その再調査の請求を却下し、理由がないときは棄却し、又は理由があるときは、全部若しくは一部を取り消し、又はこれを変更する。ただし、再調査の請求人の不利益にその処分を変更することはできない。

②　決定の手続き等（通84①～④、⑦、⑨）

イ　再調査の請求についての決定は、再調査審理庁が、再調査の請求人または参加人から申立てがあった場合には、その申立てをした者（以下「申立人」という。）に口頭で再調査の請求に係る事件に関する意見を述べる機会（「口頭意見陳述」という。）を与えなければならない。

ロ　再調査審理庁は、必要がある場合には、その行政機関の職員に口頭意見陳述を聴かせることができる。

ハ　再調査の請求についての決定は、主文及び理由を記載し、再調査審理庁が記名押印した再調査決定書によりしなければならず、再調査決定書にその処分について国税不服審判所長に対して審査請求をすることができる旨及び審査請求期間を記載して、これらを教示しなければならない。

(5) 審理手続を経ない却下（通81⑤）

再調査審理庁から不備の補正を求められた場合において、再調査の請求人がその期間内に不備を補正しないとき、又は再調査の請求が不適法であって補正することができないことが明らかなときは、再調査審理庁は、上記(4)②決定の手続等に定める審理手続を経ないで、決定でその再調査の請求を却下することができる。

3 審査請求 ❖

(1) 審査請求（通75③）

上記[1](1)①等に対する再調査の請求（法定の再調査の請求期間経過後にされたもの等を除く。）についての決定があった場合において、その再調査の請求をした者がその決定を経た後の処分になお不服があるときは、その者は、国税不服審判所長に対して審査請求をすることができる。

(2) 方法（通87①）

審査請求は、審査請求に係る処分の内容、審査請求に係る処分があったことを知った年月日その他一定の事項を記載した書面を提出してしなければならない。

(3) 決定を経ない審査請求（通75④）

税務署長等がした処分に対する再調査の請求又は国税庁長官がした処分に対する審査請求（税務署長等がした処分に対する再調査の請求に限る。）による再調査の請求をしている者は、次のいずれかに該当する場合には、再調査の請求に係る処分について、決定を経ないで、国税不服審判所長に対して審査請求をすることができる。

① 再調査の請求をした日（再調査の請求書の記載事項等の規定により不備を補正すべきことを求められた場合には、不備を補正した日）の翌日から起算して3月を経過しても再調査の請求についての決定がない場合

② その他再調査の請求についての決定を経ないことにつき正当な理由がある場合

(3) 裁決（通98）

① 裁決の態様

国税不服審判所長は、裁決で、審査請求が理由がないときはその審査請求を棄却し、又は理由があるときは、全部若しくは一部を取り消し、又はこれを変更する。ただし、審査請求人の不利益にその処分を変更することはできない。

② 裁決の手続き（通101（通84③準用））

裁決は、主文、事案の概要等一定の事項を記載し、国税不服審判所長が記名押印した裁決書によりしなければならない。

③　**裁決の効力**（通101③）

　　裁決は、審査請求人等に裁決書の謄本が送達された時に、その効力を生じる。

④　**謄本の送付**（通101④）

　　国税不服審判所長は、裁決書の謄本を参加人及び原処分庁（国税に関する処分についての不服申立てに規定する処分に係る審査請求にあっては、その処分に係る税務署長を含む。）に送付しなければならない。

<コラム@ランダム>
〜滞納は分割納付で解決〜

　国税滞納には一番の解決策があります。それは言わずと知れた滞納国税の分割納付です。これは滞納者と相談して毎月どのくらいであれば納付ができるか金額を決めて税務署に申出をすることになります。滞納金額があまり大きくなければ担保なども必要なく分割納付が可能です。約束手形が振り出せる会社であれば分納期限に応じた複数の手形振出しを求められることもあります。

　もちろんこの分納が一度でもできなければ分納は取り消され一括納付ということになります。税理士はこの分納もきちんと行われていることを毎月管理する必要もあります。

　我々税理士はクライアントと税務署の中間に位置する立場ですが、こんな所にも細かい配慮をするのが税理士業のサービスの一部なのです。

(1) 執行不停止の原則（通105①）

　国税に関する法律に基づく処分に対する不服申立ては、その**目的となった処分の効力、処分の執行又は手続の続行を妨げない**。

　ただし、その国税の徴収のため差し押えた財産の**滞納処分による換価**は、その財産の価額が著しく減少するおそれがあるとき、又は不服申立人から別段の申出があるときを除き、その**不服申立てについての決定等があるまで、することができない**。

(2) 再調査の請求の場合の執行停止等

　① 徴収の猶予又は滞納処分の続行の停止（通105②）

　　再調査審理庁又は国税庁長官は、必要があると認めるときは、再調査の請求人等の**申立て**により、又は**職権**で、不服申立ての目的となった処分に係る**国税の全部若しくは一部の徴収を猶予**し、若しくは**滞納処分の続行を停止**し、又はこれら**を命ずる**ことができる。

　② 差押の猶予又は解除（通105③）

　　再調査審理庁又は国税庁長官は、再調査の請求人等が、**担保を提供**して、不服申立ての目的となった処分に係る国税につき、滞納処分による**差押えをしないこと**又は既にされている滞納処分による**差押えを解除すること**を求めた場合において、相当と認めるときは、その**差押えをせず**、若しくはその**差押えを解除し**、又はこれらを**命ずる**ことができる。

(3) 審査請求の場合の執行停止等

　① 徴収の猶予又は滞納処分の続行の停止の要求（通105④）

　　国税不服審判所長は、必要があると認めるときは、**審査請求人**の申立てにより、又は職権で、審査請求の目的となった処分に係る国税につき、**徴収の所轄庁の意見を聴いた上**、その国税の全部若しくは一部の徴収を猶予し、又は滞納処分の続行を停止することを徴収の所轄庁に求めることができる。

　② 差押の猶予又は解除の要求（通105⑤）

　　国税不服審判所長は、審査請求人が、徴収の所轄庁に**担保を提供**して、審査請求の目的となった処分に係る国税につき、滞納処分による**差押えをしないこと**又は既にされている滞納処分による**差押えを解除すること**を求めた場合において、相当と認めるときは、徴収の所轄庁に対し、その**差押えをしないこと**又はその**差押えを解除すること**を求めることができる。

　③ 差押の猶予又は解除（通105⑥）

　　徴収の所轄庁は、国税不服審判所長から徴収の猶予等又は差押えの解除等を求められたときは、審査請求の目的となった処分に係る国税の全部若しくは一部の

徴収を猶予し、若しくは滞納処分の続行を停止し、又はその**差押えをせず**、若しくはその差押えを**解除しなければならない**。

(4) **納税の猶予等の取消し等**（通105⑦）

再調査の請求人等につき、徴収の猶予等又は差押の猶予がされている場合において、繰上請求に該当する事由が生じたとき、又は担保の変更の命令に応じないとき等の理由が生じたときは、徴収の所轄庁は、国税不服審判所長の同意を得て、その猶予を取り消し、又は猶予期間を短縮することができる。

5 　**滞納処分に関する不服申立て等の期限の特例**（徴171）❖❖

滞納処分について次に掲げる処分に関し欠陥があることを理由としてする不服申立ては、災害等による期限の延長の規定又は原則に定める不服申立期間を経過したものを除き、それぞれに掲げる期限まででなければ、することができない。

(1) **督促**

差押に係る**通知を受けた日**（その通知がないときは、その差押があったことを知った日）から３月を経過した日

(2) **不動産等**についての**差押え**

その**公売期日等**

(3) **不動産等**についての**公売公告から売却決定**までの処分

換価財産の**買受代金の納付の期限**

(4) 換価代金等の配当

換価代金等の交付期日

6 　**差押動産等の搬出の制限**（徴172）❖

引渡命令を受けた第三者が、その命令に係る財産が**滞納者の所有に属していない**ことを理由として、その命令につき**不服申立てをしたとき**は、その**不服申立ての係属する間**は、その財産の**搬出をすることができない**。

7 　**不動産の売却決定等の取消しの制限**（徴173）❖

(1) 公売等に関する不服申立ての期限の特例に掲げる処分に欠陥があることを理由として滞納処分に関する**不服申立て**があった場合において、その処分は違法ではあるが、一定の場合に該当するときは、税務署長等は、その**不服申立てを棄却すること**ができる。

(2) 上記の規定による不服申立てについての棄却の決定又は裁決には、処分が違法であること及び不服申立てを棄却する理由を明示しなければならない。

また、この規定は、国に対する損害賠償の請求を妨げない。

附帯税

1　延滞税（通60）❖

(1)　課税要件（通60①）

納税者は、次のいずれかに該当するときは、延滞税を納付しなければならない。

①　期限内申告書を提出した場合において、納付すべき国税をその法定納期限までに完納しないとき

②　期限後申告書若しくは修正申告書を提出し、又は更正若しくは決定を受けた場合において、納付すべき国税があるとき

③　納税の告知を受けた場合において、納付すべき国税をその法定納期限後に納付するとき

④　予定納税に係る所得税をその法定納期限までに完納しないとき

⑤　源泉徴収による国税をその法定納期限までに完納しないとき

(2)　計算方法（通60②③④）

①　原則

延滞税の額は、原則として、上記(1)の国税の法定納期限の翌日からその国税を完納する日までの期間の日数に応じ、その未納の税額に年14.6％の割合を乗じて計算した額とする。

ただし、納期限までの期間又は納期限の翌日から２月を経過する日までの期間は、その未納の税額に年7.3％の割合を乗じて計算した額とする。

②　特例基準割合

なお、現在、「納期限までの期間」及び「納期限の翌日から２月を経過する日までの期間」については、年「7.3％」と「特例基準割合＋１％」のいずれか低い割合を適用することとなり、「納期限の翌日から２月を経過した日以後」の期間は、年「14.6％」と「特例基準割合＋7.3％」のいずれか低い割合となる。

2　利子税（通64）❖

(1)　延納若しくは物納又は納税申告書の提出期限の延長に係る国税の納税者は、国税に関する法律の定めるところにより、その国税にあわせて利子税を納付しなければならない。

(2)　利子税の額の計算の基礎となる期間は、延滞税の額の計算期間に算入しない。

3　加算税（通64）✣

(1)　過少申告加算税（通65）

①　内容

　　期限内申告書が提出された場合において、修正申告書の提出又は更正があった

ときは、その納税者に対し、その修正申告又は更正に基づき過少申告加算税を課

する。

②　計算方法

　　上記①により新たに納付すべき税額×10%

　　ただし、一定の金額を超えるときは、その超える部分については15%

(2)　無申告加算税（通66）

①　内容

　　次のいずれかに該当する場合には、その納税者に対し、無申告加算税を課する。

　　ただし、期限内申告書の提出がなかったことについて正当な理由があると認め

られる場合は、この限りでない。

　イ　期限後申告書の提出又は決定があった場合

　ロ　期限後申告書の提出又は決定があった後に修正申告書の提出又は更正があ

　　った場合

②　計算方法

　　上記①により新たに納付すべき税額×15%

　　ただし、一定の金額を超えるときは、その超える部分については20%

(3)　不納付加算税（通67）

①　内容

　　源泉徴収による国税がその法定納期限までに完納されなかった場合には、税務

署長は、その納税者から、不納付加算税を徴収する。

　　ただし、その告知又は納付に係る国税を法定納期限までに納付しなかったこと

について正当な理由があると認められる場合は、この限りでない。

②　計算方法

　　納税の告知に係る税額又はその法定納期限後にその告知を受けることなく納付

された税額×10%

⑷ 重加算税（通68）

① 内容

税務署長は、次のいずれかに該当する場合には、過少申告加算税、無申告加算税、不納付加算税に代え重加算税を課する。

イ　過少申告加算税を課される場合において、納税者が隠ぺい又は仮装したところに基づき、納税申告書を提出していたとき

ロ　無申告加算税を課される場合において、納税者が隠ぺい又は仮装したところに基づき、期限内申告書を提出せず、又は期限後申告書を提出していたとき

ハ　不納付加算税を課される場合において、納税者が隠ぺい又は仮装したところに基づき、その国税をその法定納期限までに納付しなかったとき

② 計算方法

イ　過少申告加算税を課される場合

過少申告加算税に代えて35%を乗じて計算する

ロ　無申告加算税を課される場合

無申告加算税に代えて40%を乗じて計算する

ハ　不納付加算税を課される場合

不納付加算税に代えて35%を乗じて計算する

15-5 その他の論点

罰則規定

1 滞納処分免脱罪（徴187）❖❖

⑴ 納税者の場合

　　納税者が滞納処分の執行又は租税条約等による共助対象国税の徴収を免れる目的でその財産を隠ぺいし、損壊し、国の不利益に処分し、又はその財産に係る負担を偽って増加する行為をし、又はその現状を改変して、その財産の価額を減損し、若しくはその滞納処分に係る滞納処分費、若しくは租税条約等による共助対象国税の徴収の共助の要請による費用を増大させる行為をしたときは、その者は、3年以下の懲役若しくは250万円以下の罰金に処し、又はこれを併科する。

⑵ 納税者の財産を占有する第三者の場合

　　納税者の財産を占有する第三者が納税者に滞納処分の執行又は租税条約等の共助対象国税の徴収を免れさせる目的で⑴の行為をしたときも、また⑴と同様とする。

⑶ ⑴又は⑵の行為の相手方となった第三者の場合

　　情を知って上記⑴又は⑵の行為につき納税者又はその財産を占有する第三者の相手方となった者は、2年以下の懲役若しくは150万円以下の罰金に処し、又はこれを併科する。

⑷ 在外者への適用

　　上記⑴及び⑵（滞納処分の執行に係る部分を除く。）の罪は、日本国外において、これらの罪を犯した者にも適用する。

2 検査拒否等の罪（徴188）❖

　　次のいずれかに該当する場合には、その違反行為をした者は、1年以下の懲役又は50万円以下の罰金に処する。

⑴　質問及び検査の規定による徴収職員の**質問**に対して**答弁をせず**、又は**偽りの陳述を**したとき。

⑵　質問及び検査の規定による**検査を拒み、妨げ、若しくは忌避**したとき。

⑶　質問及び検査の規定による物件の提示又は提出の要求に対し、**正当な理由がなく**これに応じず、又は**偽りの記載**若しくは**記録**をした帳簿書類その他の物件を提出し、若しくは提示したとき。

3 両罰規定（徴189）✦

法人の代表者（人格のない社団等の管理人を含む。）又は法人若しくは人の代理人、使用人、その他の従業者が、その法人又は人の業務又は財産に関して上記 1 及び 2 の**違反行為をしたとき**は、その**行為者を罰する**ほか、その**法人又は人**に対し上記 1 及び 2 の**罰金刑**を科する。

人格のない社団等についてこれらの規定の適用がある場合においては、その代表者又は管理人がその訴訟行為につきその人格のない社団等を代表するほか、法人を被告人又は被疑者とする場合の刑事訴訟に関する法律の規定を準用する。

4 虚偽陳述の罰則（徴189）✦✦

暴力団員等に該当しないこと等の陳述の規定により、陳述すべき事項について虚偽の陳述をした者は、6月以下の懲役又は50万円以下の罰金に処する。

納付義務の承継

1　相続による国税の納付義務の承継（通5、徴139）❖❖

(1)　内容

相続（包括遺贈を含む。以下同じ。）があった場合には、相続人又は民法の法人は、その**被相続人**（包括遺贈者を含む。）**に課される**べき、又はその被相続人が納付し、若しくは徴収されるべき国税（その滞納処分費を含む。）を**納める義務を承継**する。

(2)　承継する国税の範囲

① 相続人が**限定承認**をしたときは、その相続人は、相続によって得た**財産の限度**においてのみその国税を納付する責めに任ずる。

② ①の場合において、相続人が**2人以上ある**ときは、各相続人が**承継する国税の額は、法定相続分等により**あん分して計算する。

③ 相続人のうちに相続によって**得た財産の価額が**上記②により計算した国税の額を超える者があるときは、その相続人は、その**超える価額を限度**として、他の**相続人の上記①及び②により承継する国税**を納付する責めに任ずる。

(3)　相続等があった場合の滞納処分の効力（徴139）

① 滞納者の死亡前に行われた滞納処分

滞納者の財産について**滞納処分を執行した後**、滞納者が**死亡**し、又は滞納者である法人が**合併により消滅**したときは、その財産につき**滞納処分を続行すること**ができる。

② 滞納者の死亡後に行われた滞納処分

滞納者の死亡後その国税につき**滞納者の名義の財産に対してした差押え**は、その国税につきその**財産を有する相続人に対してされたもの**とみなす。ただし、徴収職員がその死亡を知っていたときは、この限りでない。

2　法人の合併による国税の納付義務の承継（通6）❖

法人が合併した場合には、**合併法人は、被合併法人の納税義務**を承継する。

3　人格のない社団等に係る国税の納付義務の承継（通7）❖

法人が人格のない社団等の財産に属する権利義務を包括して承継した場合には、その法人は、その**人格のない社団等の納税義務**を承継する。

4　信託に係る国税の納付義務の承継（通7の2）❖

(1)　内容

① 受託者の任務が終了した場合において、新受託者が就任したときは、その新受託者はその受託者の納税義務を承継する。

② 受託者が2人以上ある信託において、その1人の任務が終了した場合には、信託事務の引継ぎを受けたその受託者は、任務終了受託者の納税義務を承継する。

③ 個人である受託者が死亡し、受託者の任務が終了した場合には、その信託財産は法人となり、その法人はその受託者の納税義務を承継する。

④ 受託者である法人が分割をした場合において、分割により受託者としての権利義務を承継した法人は、その受託者である法人の納税義務を承継する。

(2)　承継する国税の範囲

① 上記(1)①又は(1)②により国税を納める義務が承継された場合にも、その受託者又は任務終了受託者は、自己の固有財産をもって、その承継された国税を納める義務を履行する責任を負う。ただし、その国税を納める義務について、信託財産に属する財産のみをもってその履行の責任を負うときは、この限りでない。

② 新受託者は、(1)①の規定により国税を納める義務を承継した場合には、信託財産に属する財産のみをもって、その承継された国税を納める義務を履行する責任を負う。

15-7 その他の論点

更正の請求

1 原則（通23①）✤

　納税申告書を提出した者は、次のいずれかに該当する場合には、その申告書に係る国税の法定申告期限から原則として**5年以内に限り**、税務署長に対し、その申告に係る課税標準等又は税額等につき**更正の請求**をすることができる。

(1) その申告書に記載した課税標準等若しくは税額等の計算が国税に関する法律の規定に従っていなかったこと又はその計算に誤りがあったことにより、その申告書の提出により**納付すべき税額が過大**であるとき

(2) 上記(1)の理由により、その申告書に記載した還付金の額に相当する**税額が過少**であるとき、又は還付金の額に相当する**税額の記載がなかったとき**

(3) その他一定のとき

2 特則（通23②）✤

　納税申告書を提出した者又は決定を受けた者は、次のいずれかに該当する場合には、 1 にかかわらず、その**確定した日、更正等があった日又は理由が生じた日**の翌日から起算して**2月以内**（納税申告書を提出した者については、その期間の満了する日が 1 の請求期間後に到来する場合に限る。）に、税務署長に対し、その該当することを理由として**更正の請求**をすることができる。

(1) その申告等に係る**課税標準等**又は税額等の計算の基礎となった事実に関する訴えについての**判決**により、その事実がその計算の基礎としたところと**異なることが確定したとき**

(2) その申告等をした者に**帰属するものとされていた所得その他課税物件**が他の者に帰属するものとするその他の者に係る**国税の更正又は決定があったとき**

(3) その他国税の法定申告期限後に生じた上記(1)、(2)に類するやむを得ない理由があるとき

3 手続（通23③）✤

　更正の請求をしようとする者は、一定の事項を記載した**更正請求書**を税務署長に提出しなければならない。

4　処分（通23④）♣

　税務署長は、**更正の請求があった場合**には、その請求に係る課税標準等又は税額等について**調査**し、**更正をし、又は更正をすべき理由がない旨**をその**請求をした者に通知**する。

5　徴収の不猶予（通23⑤）♣

　更正の請求があった場合においても、税務署長において相当の理由があると認める場合を除き、税務署長は、その**請求に係る納付すべき国税**（滞納処分費を含む。）の**徴収を猶予しない。**

過去10年の
本試験問題

本試験問題を原文のまま掲載しています。
試験対策として、問題の傾向の把握にご利用ください。

【巻末付録】

〔第一問〕 −40点−

問1 次の事項について、簡素に説明しなさい。なお、解答は答案用紙の指定欄に記載すること。

(1) 差し押さえられた動産、不動産及び自動車の滞納者（所有者）による使用及び収益

(2) 差押財産を例外的な方法により売却できる場合

問2 次の設例において、X税務署長が滞納者Yの国税の全額を徴収するために差し押さえるべき財産とその理由を答えなさい。なお、延滞税、利息等の債権額の変動を考慮する必要はない。また、解答は答案用紙の指定欄に記載すること。

〔設例〕

1 滞納者Yは、平成25年分の申告所得税（法定納期限等：平成26年3月17日）600万円を滞納している。

2 滞納者Yは、次に掲げる土地を所有している。

(1) A土地：評価額300万円

(2) B土地：評価額200万円

　　　　賃借権の登記：権利者 甲、平成23年5月9日登記

(3) C土地：評価額2,000万円

　　　　抵当権の登記：抵当権者 乙、被担保債権1,600万円、平成24年9月3日登記

(4) D土地：評価額700万円

　　　　抵当権の登記：抵当権者 丙、被担保債権900万円、平成24年2月1日登記

3 上記2の土地以外に滞納者Yの申告所得税を徴収することができる財産はない。

4 上記2の土地の換価に要する期間、費用はいずれも同程度であり、差押えによる滞納者Yの生活の維持及び事業継続への影響はない。

〔第二問〕 －60点－

問1 次の設例において、X税務署長がすることができる処分とその要件及び効果について、設例に即して答えなさい。なお、納税の猶予及び換価の猶予について解答する必要はない。また、解答は答案用紙の指定欄に記載すること。

〔設例〕

1 個人事業主のAは、甲町1丁目2番地において、卸売業を営んでいた。

2 X税務署長は、滞納者Aの平成25年度分の申告所得税(卸売業から生じた所得に係るもの、法定納期限:平成26年3月17日)30万円を徴収するため、平成26年6月2日に滞納者Aの敷金返還請求権15万円を差し押さえた。

3 滞納者Aは平成26年9月1日に事業を廃止し、現在は乙社の非常勤職員として勤務している。

  (1) 滞納者Aは配偶者と二人暮らしである。

  (2) 配偶者は無職で収入はなく、滞納者Aが乙社から支払を受けている給料(月8万円)で暮らしているものの、日々の生活を維持することも厳しい状況にある。

  (3) 敷金返還請求権は、滞納者Aの自宅アパートに係るものであり、賃貸借契約において、滞納者Aが退去した後に返還することとされている。なお、現在のところ、滞納者Aが転居する予定はない。

  (4) 滞納者Aの財産は、上記2の敷金及び上記(2)の給料の他にはないものとする。

問2 上記2の問1の設例について、滞納者Aは、事業の廃止ではなく、次のとおり事業を譲渡していた場合において、X税務署長が滞納者Aの平成25年分の申告所得税を長男Bから徴収するためにとり得る処分とその要件、また、滞納者A及び長男Bから徴収することができる金額とその理由を設例に即して答えなさい。なお、X税務署長は、上記の問1においてすることができる処分をこれまでのところしていないことを前提とし、延滞税の額を考慮する必要はない。また、解答は答案用紙の指定欄に記載すること。

〔事業の譲渡〕

1　滞納者Aは、平成26年9月1日に自己の営む卸売業を長男Bに譲渡した。

2　譲渡した事業に係る総資産額は700万円、総負債660万円であり、譲渡代金の40万円は、滞納者Aの長男Bに対する借入債務と相殺されている。なお、譲渡価額は適正なものと認められる。

　　　資産：売掛金 80万円、建物C 600万円、自動車 20万円

　　　負債：買掛金 40万円、借入金 620万円（建物Cに抵当権の設定。平成24年2月1日登記）

3　長男Bは、譲り受けた建物C及び自動車を用いて、甲町1丁目2番地において、卸売業を営んでいる。

　　　なお、売掛金は買掛金や経費の支払に充てられている。

4　平成26年12月に譲り受けた建物Cが火災により焼失し、その建物Cに係る損害保険金600万円は、借入金の返済に充てられている。

　　　長男Bは自己資金と新たな借入により、同所に建物Dを新築して卸売業を継続している。

　　　建物D 所有者：長男B、評価額800万円

　　　抵当権：平成27年2月2日登記、被担保債権額700万円

（注）　旧法では納税者の親族であれば「事業を譲り受けた特殊関係者の第二次納税義務」が適用されたが、改正により生計を一にする親族という条件が追加された。また譲り受けた事業を同一とみられる場所で営んでいることが適用要件であったが、これは削除された。

〔第一問〕－50点－

問1

(1) 滞納者が職業又は事業(農業及び漁業を除く。)の用に供している財産について、(イ)絶対的に差押えが禁止される場合と(ロ)条件付きで差押が禁止される場合を説明しなさい。

また、(ハ)上記イとロの対象となる財産の範囲が異なる理由について、制度の趣旨に言及して説明しなさい。

(注)解答は、答案用紙の指定欄に記載すること。

(2) 徴収職員が差し押さえようとしている滞納者の機械について、その機械を滞納者から賃借して事業の用に供している第三者(滞納者の親族その他の特殊関係者ではない。)が、引き続き、その機械を賃借することができる場合を説明しなさい。

なお、税務署長の処分について説明する必要はない。

(注)解答は、答案用紙の指定欄に記載すること。

問2 納税者が病気にかかり、納期限内に国税を納付できなかったことを前提として、(イ)納税の猶予と(ロ)納税者の申請による換価の猶予のそれぞれについて、その要件及び効果の異なる点を説明しなさい。

(注)解答は、答案用紙の指定欄に記載すること。

〔第二問〕－50点－

問1 甲は所得税500万円(平成26年分の期限内申告)を滞納していたところ、平成28年7月1日に死亡した。

甲の遺産は、A株式(上場株式：評価額800万円)のみである。

甲の相続人は、子である乙と丙の2名であり、相続について、乙は単純承認、丙は放棄をしている。

乙はB不動産(評価額600万円)、丙はC不動産(評価額1,000万円)を所有しており、他に固有の財産はない。

(1) この場合に税務署長は、どの財産からどれだけの額を徴収すべきか、理由を付して答えなさい。

なお、延滞税の額を考慮する必要はない。

(2) 仮に、税務署長がB不動産を差し押さえた場合において、乙が税務署長に対して請求することができる手続を事例に即して説明しなさい。

問 2　甲は所得税 500 万円（平成 26 年分の期限内申告）を滞納していたところ、平成 28 年 7 月 1 日に死亡した。

　　甲の遺産は、D不動産（評価額 1,200 万円）のみであり、抵当権X（債務者は甲、被担保債権額 400 万円、平成 25 年 10 月 1 日設定）が設定されている。

　　甲の相続人は、乙のみであり、乙は相続について単純承認をしている。

　　乙は、E株式（上場株式：評価額 500 万円）を所有しており、他に固有の財産はない。

　　この場合に税務署長は、どの財産からどれだけの額を徴収すべきか、理由を付して答えなさい。

　　なお、延滞税、被担保債権の利息等の額のほか、土日、休日等を考慮する必要はない。

問 3　甲は所得税①（平成 26 年分の期限内申告）500 万円を滞納していたところ、平成 28 年 7 月 1 日に死亡した。

　　甲の遺産は、F不動産（評価額 700 万円）のみであり、抵当権Y（債務者は甲、被担保債権額 400 万円、平成 25 年 10 月 1 日設定）が設定されているほか、平成 27 年 12 月 1 日に所得税①に係る差押えがされている。

　　甲の相続人は、乙のみであり、乙は相続について限定承認をしている。

　　乙は、所得税②（平成 24 年分の期限内申告）400 万円を滞納しており、唯一の固有財産であるG不動産（評価額 200 万円）について、平成 26 年 9 月 1 日に税務署長が差押えをしている。

　　この場合に税務署長は、所得税①及び②について、それぞれどの財産からどれだけの額を徴収することができるのか、理由を付して答えなさい。

　　なお、延滞税、被担保債権の利息等の額のほか、土日、休日等を考慮する必要はない。

〔第一問〕－50点－

問1 納期限前に災害により被害を受けた納税者の申告所得税（確定申告分）について、納税の猶予が最長でどれだけの期間にわたり適用されるか説明しなさい。

（注） 解答は、答案用紙の指定欄に記載すること。

問2 A株式会社は、平成27年3月決算（事業年度：平成26年4月1日から平成27年3月31日まで）に係る法人税の確定申告分（法定申告期限：平成27年5月31日）について脱税行為を行っていたため、平成28年2月1日に国税犯則取締法に基づく強制調査を受け、さらに、税務調査により平成28年10月31日付で更正処分を受けている（同日の午前10時に更正通知書の送達、納期限：平成28年11月30日）。

X税務署長がA株式会社から上記の更正処分に係る法人税を徴収するため、理論上、滞納処分による差押えをすることができることとなり得た時期（差押えの始期）を早い順に、それぞれの差押えの要件と、その日付が始期となる理由を付して、答案用紙の指定欄に記載しなさい。

なお、解答に当たり、土日、休日等を考慮する必要はない。

（注） 平成30年3月31日をもって国税犯則取締法は廃止され、この法律の規定が国税通則法に含有されることになっていることを考慮してほしい。

〔第二問〕－50点－

次の設例について、以下の各問に答えなさい。

なお、解答に当たり、延滞税及び遅延損害金の額を考慮する必要はない。

また、解答は答案用紙の指定欄に記載すること。

〔設例〕

1 個人事業者であったAは、申告所得税（平成27年確定分、法定納期限：平成28年3月15日）1,000万円を滞納している。

2 滞納者Aは、所有する自家用車が故障したため、平成28年9月1日、P株式会社に修理を依頼した。

P株式会社が修理中の滞納者Aの自動車をX税務署長が差し押さえ、その後、修理は完了したものの、滞納者Aが修理代金（100万円）を支払わないため、P株式会社が引き続き自動車（評価額：800万円）を占有している。

3 滞納者Aは、平成27年11月1日に、自身の事業用の財産を売却して得た資金をQ株式会社に出資し、相当の対価として同社の株式100株を取得した。

Q株式会社は、平成26年12月1日に滞納者Aと長男Bが設立した会社であり、上記の増資（設立後、初めての増資）後の発行済株式総数500株のうち、滞納者Aが150株、長男Bが350株を有している。

X税務署長は、滞納者Aの有するQ株式会社の株式100株を差し押さえたものの、非上場株であって、市場性が乏しく、実際に平成28年10月と11月に実施した公売でも、入札はなかった。

なお、Q株式会社は、定款において株券を発行する旨の定めはなく、現在の総資産額は8,000万円、総負債額は6,500万円、資本金の額は1,200万円である。

4 滞納者Aは、R国に所在する土地（評価額：400万円）を別荘用地として購入している。

なお、R国との租税条約には、徴収の共助に関する規定が設けられている。

5 滞納者Aの財産は、上記2から4までに記載したもの以外はないものとする。

問1 X税務署長が設例の自動車を換価するに当たり、これを占有するための措置を答えなさい。

また、その自動車の換価により徴収することができる金額とその理由を設例に即して答えなさい。

問2 設例の自動車に関するものを除き、X税務署長が滞納者Aの国税を徴収するためにとり得る措置（詐害行為取消権の行使を除く。）とその要件を設例に即して答えなさい。

また、その措置により徴収することができる金額とその理由を設例に即して答えなさい。

〔第一問〕 −50点−

問1 国税徴収法第98条第1項では、「税務署長は、近傍類似又は同種の財産の取引価格、公売財産から生ずべき収益、公売財産の原価その他の公売財産の価格形成上の事情を適切に勘案して、公売財産の見積価額を決定しなければならない。この場合において、税務署長は、差押財産を公売するための見積価額の決定であることを考慮しなければならない」と規定されている。

　　また、不動産を公売する場合は、公売の日から3日前の日までに見積価額を公告しなければならないとされている（国税徴収法第99条第1項第1号）。

(1)　「税務署長は、差押財産を公売するための見積価額の決定であることを考慮しなければならない」とされている趣旨（理由）を説明しなさい。

(2)　不動産の公売における見積価額とその公告について、これらが公売において果たす役割とその理由を説明しなさい。

問2 税務署長は、賃借権の目的となっている不動産を差し押さえた場合は、その賃借権を有する者に対して、その不動産を差し押さえた旨を通知しなければならないこととされている。その理由について、国税徴収法に定められた制度に言及しながら説明しなさい。

問3 次の設例において、国税徴収法の規定に基づき、A税務署長が甲土地から滞納者Bの所得税を徴収することができる金額について、理由を付して説明しなさい。

　　なお、延滞税、利息等の額を考慮する必要はない。

〔設例〕

1　滞納者Bは、平成28年分の所得税600万円（期限内に申告）を滞納している。

2　滞納者Bは、唯一の財産である甲土地（評価額900万円）を平成30年2月1日に親族Cに贈与し、同日、所有権移転の登記がされた。

3　甲土地には抵当権が設定されており、上記2の贈与に当たり、被担保債権に係る債務は親族Cが引き受け、滞納者Bに代わって返済をすることにつき、抵当権者Dを含めた三者間で合意している。

　　抵当権の内容　：　被担保債権額400万円、平成29年6月1日登記

〔第二問〕 －50点－

次の設例を共通の前提として、下記の問1、問2のそれぞれの事実関係に基づき、各問に答え
なさい。

なお、解答に当たり、延滞税、利息等の額及び土日、休日等を考慮する必要はない。

〔設例〕

1 卸売業を営む滞納者Eは、譲渡所得に係る所得税（平成29年分）180万円について換価
の猶予を申請し、平成30年4月1日から9月30日まで、換価の猶予に基づき、毎月末30
万円の分割納付をすることとなった。

2 F税務署長は、換価の猶予に係る所得税について、次の財産に抵当権の設定を受けている。

　　乙土地　：　所有者　G（滞納者Eの親族）

　　　　　　　評価額　500万円

　　　　　　　抵当権　第1順位　H銀行、被担保債権額300万円

　　　　　　　　　　　　　　　　平成29年7月1日登記

　　　　　　　　　　　第2順位　F税務署長、被担保債権額180万円

　　　　　　　　　　　　　　　　平成30年4月1日登記

問1　換価の猶予を受けた後、滞納者Eは平成30年6月分まで順調に分割納付を行っていた
　　ものの、自身の趣味のために、バイク（評価額150万円）をローンで購入したほか、借金
　　をして等身大のフィギア（評価額50万円）を購入したため、資金不足となり、平成30年
　　7月分の分割納付金額30万円を納付できなかった。

　　　この場合において、F税務署長が滞納者Eの所得税を徴収するためにとるべき措置、及
　　びその措置により徴収することができる金額について、理由を付して答えなさい。

問2　換価の猶予を受けた後、滞納者Eは平成30年6月分まで順調に分割納付を行っていた
　　ものの、従来から継続して納品していた商品について、突如、取引先の都合により受注が
　　減少し、平成30年7月分以降に調達することができると見込まれる納付資金は、毎月20
　　万円が精一杯の状況となった。

　　　このような状況の下、滞納者Eは、平成30年7月分以降は、毎月末20万円を分割納付
　　したいと考えている。

　　　この場合において、F税務署長がとるべき措置について、理由を付して答えなさい。

〔第一問〕－40 点－

次の事項について、簡潔に説明しなさい。

問1　交付要求と参加差押の異同について

（1）要件の異同

（2）手続の異同

（3）効果の異同

問2　徴収職員における財産調査権限について

〔第二問〕－60 点－

　次の設例において、滞納国税を徴収するため、国税徴収法上考えられる徴収方途について、その根拠を示して説明しなさい。なお、土日、祝日等は考慮する必要はない。また徴収手続について説明する必要はない。

〔設 例〕

1．建設業を営む株式会社甲は、平成 31 年 4 月 20 日現在、次の国税を滞納していた。

（1）平成 29 年 9 月期 法人税の確定申告分：300 万円

　　（法定納期限：平成 29 年 11 月 30 日、確定申告書提出日：平成 29 年 11 月 30 日）

（2）平成 28 年 9 月期 消費税及び地方消費税の修正申告分：500 万円

　　（法定納期限：平成 28 年 11 月 30 日、修正申告書提出日：平成 30 年 11 月 30 日）

（3）平成 29 年 9 月期 消費税及び地方消費税の修正申告分：1,700 万円

　　（法定納期限：平成 29 年 11 月 30 日、修正申告書提出日：平成 30 年 11 月 30 日）

（4）平成 30 年 9 月期 消費税及び地方消費税の確定申告分：600 万円

　　（法定納期限：平成 30 年 11 月 30 日、確定申告書提出日：平成 30 年 11 月 30 日）

2．X 税務署の徴収職員は、滞納国税を徴収するため、株式会社甲の財産調査を実施したところ、次の事実が判明した。

（1）株式会社甲の発行株式は、全部で 100 株であり、代表取締役である A が 60 株、B（A の長男）が 30 株、C（A の弟）が 10 株を保有している。

（2）株式会社甲は、平成 31 年 3 月 25 日付で解散登記を行っており、清算人には、A 及び C が就任してる。

3．X税務署の徴収職員は平成31年4月20日、清算人Aと面接し、次の事実を把握した。

(1) 株式会社甲は、平成31年3月15日、株主総会を開催し、同日をもって解散することを決議し、清算人にA及びCを選任した上で、同月25日、その旨の登記を行った。

　　なお、Cは、清算人に就任したものの、財産の処分及び分配等には一切関与せず、Aに一任していた。

(2) 清算人であるAは、次のとおり、株式会社甲の清算手続を行っていた。

　　イ．平成31年3月30日、Z銀行に預けていた定期預金500万円を解約し、分配金として400万円をAの預金口座へ、100万円をBの預金口座へ振り込んだ。

　　ロ．平成31年4月2日、建設機械3台（帳簿価額：1,000万円）を200万円の借入金債務を負っていた株式会社乙に対して譲渡し、債務清算後の400万円を受領し、分配金としてA及びBの預金口座へそれぞれ200万円を振り込んだ。

　　　　なお、株式会社乙は、D（Aの妻）が代表者を務め、Dを判定の基礎として同族会社に該当する会社である。

　　ハ．平成31年4月6日、Cに対する貸付金債権100万円について、債権放棄をした。

　　ニ．平成31年4月13日、取引先である株式会社丙に対する売掛金債権300万円の支払として、現金を受領し、E（Aの長女）の預金口座へ振り込んだ。

　　　　なお、Eは、Aと同居しているものの、E自身で生計を維持していると認められた。

4．X税務署の徴収職員はAと面談後、再度調査等をしたところ、次の事実を把握した。

(1) 株式会社乙に譲渡した建設機械3台の譲渡時の時価は1,500万円であった。なお、株式会社乙は、建設機械3台の譲受のために支払った費用等はなかった。

(2) 株式会社丁に対する未回収の売掛金400万円（平成31年2月分、履行期限：平成31年4月30日。なお、当該売掛金には譲渡禁止特約は付されていない。）を把握した。

　　ただし、株式会社丁は、平成31年2月28日、株式会社戊から、「登記事項証明書」を貼付した債権譲渡契約書を受取っていた。主な登記事項は次のとおりあった。

　　　　（譲渡人）：株式会社甲、（譲受人）株式会社戊

　　　　（登記原因日付）：平成30年10月25日、（登記原因）：譲渡担保

　　　　（債権の総額）：1,000万円、（登記年月日時）：平成30年10月28日11時10分

　　　　（原債権者）：株式会社甲、（債務者）：株式会社丁

　　　　（契約年月日）：平成30年10月25日

　　　　（債権の発生年月日（始期））：平成30年11月1日

　　　　（債権の発生年月日（終期））：令和3年10月31日

　　　　（注）上記、債権譲渡契約及び債権譲渡登記は有効なものとする。

(3) 清算手続きにより振り込んだA、B及びEの預金口座は、既に解約済みであった。

(4) その他、株式会社甲が所有する財産はなかった。

〔第一問〕 －50点－

問1 国税徴収法第104条約1項では、徴収職員は、見積価額以上の入札者等のうち最高の価額による入札者等を最高価申込者として定めなければならないと規定され、また、同法第104条の2第1項では、徴収職員は、入札の方法により不動産等の公売をした場合において、最高価申込者の入札価額（以下「最高入札価額」という。）に次ぐ高い価額（見積価額以上で、かつ、最高入札価額から公売保証金の額を控除した金額以上であるものに限る。）による入札者から次順位による買受けの申込みがあるときは、その者を次順位買受申込者として定めなければならないと規定されている。

(1) 不動産等の公売において、「最高入札価額に次ぐ高い価額による入札者から次順位による買受けの申込みがあるときは、その者を次順位買受申込者として定めなければならない」とされている趣旨（理由）を説明しなさい。

(2) 不動産等の公売において、最高価申込者の場合と異なり、次順位買受申込者を本人の申込制としている理由を説明しなさい。

(3) 次順位買受申込者となる者の要件について説明するとともに、最高入札価額に次ぐ高い価額による入札者が2人以上で、その全ての者から買受けの申込みがあった場合の次順位買受申込者の定め方について説明しなさい。

問2 次の事項について、簡潔に説明しなさい。ただし、税務署長が行う処理については説明する必要はない。

(1) 財産の差押換えの請求について

(2) 交付要求の解除の請求について

〔第二問〕 ―50点―

　次の設例を共通の前提として、以下の問1及び問2のそれぞれの事実関係に基づき、各問に答えなさい。なお解答に当たり、延滞税、利息等の額及び土日、休日等を考慮する必要はない。また、令和元年分の申告所得税に関しては期限の延長はされていないこととする。

〔設例〕

　小売業を営む納税者Aは、平成30年分の申告所得税の修正申告書（納税額150万円）を令和元年11月30日にY税務署長に提出したが、現在、Aは当面必要な事業資金以外に50万円しかなく、残額については即時に納付することが困難な状況であった。

　なお、Aは、修正申告書を提出した時点において、上記修正申告分以外の国税の滞納はない。また、Aは、自宅兼事業所である不動産（評価額500万円）を所有している。

問1　納税者Aは、修正申告書を提出した日に納付可能額の50万円を納付したが、残額の納付については、事業の状況から毎月末20万円の分割納付を行いたいと考えている。

　　修正申告書の提出時において、Aが行うことができる国税徴収法上の措置として考えられるものについて、その要件及び手続（Aが提出すべき書類及び当該書類の記載内容）を簡潔に説明しなさい。

問2　納税者Aは、令和元年12月1日から令和2年4月30日まで、国税徴収法上の措置に基づき、毎月末20万円の分割納付をすることとなった。Aは、令和2年2月分までは順調に分割納付を行っていたものの、令和2年3月5日、突如、取引先Bが倒産したため、取引先Bに対する売掛金の回収ができなくなった。

　　Aは、令和元年分の申告所得税の確定申告書（納税額30万円）を令和2年3月13日に提出したが、上記売掛金の回収不能により即時の納付が困難であり、納税額全額について、確定申告書の提出と一緒に換価の猶予を申請した（申請書の記載に不備はなく、添付書類の不足もない。）。

　　Aは、令和2年3月以降の納付資金は、毎月末10万円が精一杯の状況であるところ、まずは、平成30年分の申告所得税（修正分）の残額を分割納付し、その後、令和元年分の申告所得税（在定分）について、引き続き、分割納付したいと考えている。

　　この場合において、Y税務署長がとるべき措置について、理由を付して答えなさい。なお、令和2年分の予定納税については、考慮する必要ない。

[第一問] −50 点−

問 1　国税徴収法第 79 条は、差押えを解除しなければならない場合及び差押えを解除することができる場合の要件を定めたものである。そのうち、「差押えを解除することができる場合」について説明しなさい。

問 2　公売における売却決定について、次の（1）及び（2）の問に答えなさい。

（1）　国税徴収法第 113 条第 1 項は、不動産、船舶、航空機、自動車、建設機械、小型船舶、債権又は電話加入権以外の無体財産権等（以下「不動産等」という。）の最高価申込者に対する売却決定手続を定めたものである。

　　　不動産等のうち、次の財産の公売における売却決定の日が、公売をする日と異なる日とされている理由について簡単に説明しなさい。

　　イ　自動車
　　ロ　不動産

（2）　換価した財産に係る売却決定が取り消される場合について説明しなさい。

[第二問] −50 点−

　次の設例において、以下の問 1 及び問 2 に答えなさい。なお、土日、祝日等については考慮しない。

〔設例〕

1　滞納会社甲は、次の国税について換価の猶予を申請し、令和 2 年 3 月 1 日から令和 3 年 2 月 28 日まで、換価の猶予に基づき、毎月末 20 万円の分割納付をすることとなった。

　　なお、滞納会社甲は、換価の猶予の申請に当たって、滞納会社甲の代表者Ａが所有する乙土地について、担保提供を行い、抵当権の設定を受けた。

・対象国税：令和元年 12 月期消費税の確定申告分　500 万円
　（法定納期限：令和 2 年 2 月 29 日・期限内申告）

2　滞納会社甲は、換価の猶予が許可された後、令和 2 年 10 月末まで毎月 20 万円の納付を行っていたが、その後、取引先の倒産等の影響から売上が減少したため、令和 2 年 11 月以降の納付はできなかった。

3　X税務署の徴収職員Yは、令和 3 年 1 月 20 日、滞納会社甲の事務所へ臨場したところ、代表者Ａから、令和 2 年 12 月末をもって事業を廃業しており、残りの滞納分の納付はできない旨の申出を受けた。

4　徴収職員Yは、直ちに換価の猶予を取り消した上で財産調査を行ったが、滞納処分の執行が可能な財産は発見できなかった。

　　そのため、乙土地の処分を進めるため、その権利関係を調査したところ、次のとおりであった。

①　平成30年10月31日　抵当権設定登記（抵当権者：B銀行、債務者：甲、被担保債権額：500万円）

②　平成31年3月20日　抵当権設定仮登記（抵当権者：C、債務者：A、被担保債権額：200万円）

③　令和2年3月1日　抵当権設定登記（抵当権者：財務省（X税務署長）、債務者：甲、被担保債権額：500万円）

④　令和2年11月30日　D年金事務所長差押え（滞納者：A、滞納保険料：100万円、法定納期限等：令和元年5月31日）

⑤　令和3年1月15日　E市長参加差押え（滞納者：A、滞納地方税：500万円、法定納期限等：平成30年9月30日）

⑥　令和3年1月25日　X税務署長担保物処分のための参加差押え（滞納者：甲、滞納国税：340万円、法定納期限等：令和2年2月29日）

5　X税務署長は、換価執行決定の効力が適法に生じたことから、乙土地の公売を行った。その結果、買受人から1,160万円を受領した。

　　この公売に際して、X税務署長は、乙土地の評価に係る鑑定料30万円を支払っている。また、D年金事務所長は、差押えを行った直後に、乙土地の評価を鑑定士に依頼し、それに係る鑑定料30万円を支払っていた。

　　なお、B銀行からは、抵当権に係る債権額が400万円である旨の債権現在額申立書が提出されているが、Cからの書類等の提出はない。

問1

(1)　国税徴収法第89条の2の規定は、参加差押えをした税務署長による換価執行を定めたものである。参加差押えをした税務署長による換価執行を定めた趣旨（理由）を説明しなさい。

(2)　参加差押えをした税務署長による換価執行制度において、その換価執行決定の効力を生じさせるための手続、関係者への通知及び換価に必要となる書類の引渡しに関する手続について、次のイ〜ハの権利者ごとに、この設例に沿った上で、根拠（理由）を付して説明しなさい。なお、実施する手続がない場合には、その旨を答えなさい。

イ　X税務署長

ロ　D年金事務所長

ハ　E市長

問2　乙土地の公売に伴う各債権者に対する換側代金の配当額を、計算過程とその根拠を示
して答えなさい。なお、滞納国税、滞納地方税及び滞納保険料は、差押え又は参加差押
え時点と変動はない。

［第一問］－50点－

問1　国税滞納処分の差押えの一般的な要件の一つとして、国税徴収法第47条 第1項第1号は、「督促状を発した日から起算して10日を経過した日までに完納しないとき。」と規定しているが、例外的に、督促を要しない国税の差押えを行うことができる場合がある。

　　　督促を要しない国税（担保の処分、譲渡担保権者の物的納税責任の追及及び国税に関する法律の規定により一定の事実が生じた場合に直ちに徴収するものとされている国税を除く。）の差押えを行うことができる場合について、簡潔に説明しなさい。

問2　納税の緩和制度の一つである滞納処分の停止について、その要件及び効果を説明しなさい。

［第二問］－50点－

　次の問1～問3において、甲税務署長が、現時点（令和4年8月時点）で、滞納者（A社、E社及び居住者I）の滞納国税を徴収するため、国税徴収法上の第二次納税義務による徴収方途及び徴収できる範囲について、その根拠を示して説明しなさい。

　なお、甲税務署長が行う手続については、解答する必要はない。

問1

　1　A社は、平成29年6月1日に設立された税理士法人である。

　2　A社の社員は、設立時からの社員であるB及び令和3年4月1日に入社したCの2名である。なお、設立時からの社員であったDは、令和3年10月31日付で退社（登記済）している。

　3　現在、A社は、活動を停止しており事業再開の目途は立っておらず、滞納処分の執行が可能な財産は有していない。

　4　A社は、令和元年5月期消費税及び地方消費税の確定申告分1,000,000円を滞納している。

問2

　1　E社は、資本金1,000,000円の株式会社であり、その株式の保有割合は、代表者F及び役員Gがそれぞれ50%ずつとなっている（F及びG以外に役員等はいない。）。

　2　E社は、令和2年3月期法人税の確定申告分3,000,000円を滞納している。

　3　E社は、令和4年3月31日、株主総会において解散を決議し、清算人にFを選任した（登記済）。

4 　清算人であるＦは、その選任時におけるＥ社の残余財産について、その選任後に、次のとおり清算手続（分配）を行った。

⑴　現金 2,000,000 円をＦ名義預金口座に振り込んだ。

⑵　定期預金 3,000,000 円を解約し、Ｇ名義預金口座に振り込んだ。

⑶　Ｈ（Ｆの友人）に対する貸付金債権 1,000,000 円について、債権放棄した。

5 　現在、Ｅ社は、滞納処分の執行が可能な財産を有していない。

問3

1 　居住者Ｉは、自身が経営するＪ株式会社（資本金 1,000,000 円。居住者Ｉが全額出資。）の借入金の物上保証人として、自らが所有していた不動産を担保として提供していたところ、Ｊ株式会社が当該借入金について返済不能となった。そのため、居住者Ｉは、令和２年３月 31 日、当該担保不動産を 20,000,000 円（時価相当額）で売却し、売却代金全額をＪ株式会社の借入債務の返済に充てた。その結果、居住者Ｉは、Ｊ株式会社に対して、同額の求償債権を取得した。

2 　居住者Ｉは、上記不動産の売却を行った令和２年分に係る所得税 15,000,000 円について滞納した。

3 　居住者Ｉは、Ｊ株式会社の経営が悪化したため、事業再生士の指導・支援の下で、取引金融機関から金融支援（債権放棄）を受けるに当たり、令和３年 10 月 31 日、Ｊ株式会社に対する求償債権を放棄した。

　　なお、居住者Ｉが求償債権を放棄した時点での、当該求償債権の評価額は 10,000,000 円であった。

4 　Ｊ株式会社は、上記企業再生の手続後においては、業績が回復している。

5 　現在、居住者Ｉは、滞納処分の執行が可能な財産を有していない。

［第一問］ －65点－

問1　（35点）

次の(1)～(3)について、簡潔に説明しなさい。

(1)　共同的な事業者の第二次納税義務の要件及び責任の限度

(2)　国税に関する法律に基づく処分に対する不服申立てと国税の徴収との関係（ただし、国税不服審判所長及び行政不服審査法第11条第2項に規定される審理員の権限に属する事項については説明する必要はない。）

(3)　国税通則法第46条の納税の猶予を税務署長等が取り消すことができる場合及びその手続

問2　（15点）

国税徴収法においては、滞納処分に関する不服申立て等の期限の特例に関する規定が設けられているが、その特例の内容について説明するとともに、その特例が設けられている趣旨（理由）について、滞納処分の違法性の承継に触れつつ説明しなさい。

問3　（15点）

次の〔設例〕において、①～③の事由が、国税の徴収権の消滅時効にどのように影響を及ぼすか（具体的日付を用いて説明する必要はない。）を述べた上で、消滅時効の完成により、甲の滞納国税について徴収権を行使することができなくなる日を答えなさい。なお、附帯税について考慮する必要はない。

〔設例〕

滞納者甲は、令和5年3月10日、令和4年分の申告所得税の確定申告を行い、納付すべき税額（300万円）が確定したが、法定納期限である令和5年3月15日までに納付しなかった。（なお、他に滞納となっている国税はない。）

①　そのため、甲の滞納国税の納税地を所轄する乙税務署長は、同年4月26日、甲の令和4年分申告所得税に係る督促状を発送し、督促状は同月28日に甲に送達された。

②　督促状の送付を受けた甲は、同年5月15日に乙税務署を訪れ、令和4年分申告所得税を一時に納付することが困難であるとして、同国税につき国税徴収法第151条の2の規定による換価の猶予の申請を行った。

乙税務署長は、甲の申請を許可することとし、同月22日、甲の令和4年分申告所得税全額について、猶予期間を同月15日から同年10月31日までとし、各月末日に50万円ずつ分割して納付することを内容とする換価の猶予許可通知書を発送し、同通知書は同月24日に甲に送達された。

③　同年6月28日、甲の財産について強制執行が開始されたことから、同年7月5日、乙税務署長は、甲の滞納国税について丙地方裁判所に交付要求を行うこととし、同日、丙地方裁判所宛に交付要求書を発送するとともに、甲宛に交付要求通知書を発送した。

　　　交付要求書は同月6日に丙地方裁判所に送達されたものの、同月10日、甲宛の交付要求通知書が郵便局から返戻されたため、同月12日、乙税務署徴収職員は甲の自宅に赴き、甲に交付要求通知書を交付した。

　　　同年8月31日、乙税務署長は、上記の交付要求に基づく配当として金銭100万円の交付を受け、同日、甲の滞納国税に充当したが、甲からは、その後も残額の200万円が納付されることはなく換価の猶予期間を経過した。

[第二問] －35点－

次の〔設例〕において、以下の問1及び問2に答えなさい。

〔設例〕

1　印刷工場を経営する滞納会社甲社は、令和4年1月1日から令和4年12月31日までの期間を事業年度（消費税及び地方消費税の課税期間）とする消費税及び地方消費税確定分200万円（法定納期限等：令和5年2月28日）を滞納している。

2　令和5年6月1日、甲社は、その代表者の知人である乙との間で、乙から事業資金として 500 万円を借り入れるに当たり、甲社が所有する印刷用の機械設備（評価額500万円）を担保の目的で乙に譲渡する旨の契約を締結し、同月5日、動産譲渡登記を経由した。

3　令和5年9月4日、X税務署長は、甲社の滞納国税200万円を徴収するため、譲渡担保権者である乙に対して国税徴収法第24条第2項に基づく告知を行うとともに、乙の納税地を管轄するY税務署長及び甲社に対し、その旨を通知した。

4　上記3の告知を受けた乙は、上記2の貸付金について、甲社からの返済が滞っていたことから、令和5年9月7日、甲社に対して譲渡担保権を実行する旨の通知を行い、返済されていない貸付金額450万円と機械設備の時価500万円との差額50万円を現金で甲社に交付するとともに、その機械設備を乙の事務所に持ち帰った。

　　　これにより、乙は譲渡担保財産である機械設備の所有権を確定的に取得するとともに、甲社と乙との間に債権債務関係はなくなった。

5　乙は、令和4年分の消費税及び地方消費税400万円（法定納期限等：令和5年3月31日）を滞納していた。

6　令和5年9月11日、Y税務署徴収職員は、乙の財産調査のために乙の事務所を訪れたところ、上記4の事実を把握したため、乙が取得した機械設備を差し押さえた。

7 令和5年9月18日、X税務署長は、甲社の滞納国税を徴収するため、Y税務署長が差し押さえた機械設備につき参加差押えをした。

8 令和5年9月20日、Z県税事務所長は、乙の滞納地方税200万円（法定納期限等：令和4年8月31日）を徴収するため、Y税務署長が差し押さえた機械設備につき参加差押えをした。

9 甲社及び乙は、他に差し押さえるべき財産を有していない。

問1 （20点）

国税徴収法第24条に基づく譲渡担保権者の物的納税責任を追及するための一般的な要件を述べた上で、X税務署長が行った参加差押えの有効性について、理由を付して答えなさい。

問2 （35点）

機械設備が滞納処分により換価された場合に、X税務署長、Y税務署長及びZ県税事務所長が、それぞれ受けることができる配当金額について、理由を付して答えなさい。なお、換価代金は500万円とし、滞納処分費、附帯税及び遅延利息等について考慮する必要はない。

[第一問] －60点－

問1 (15点)

次の(1)及び(2)について、簡潔に説明しなさい。

(1) 無償又は著しい低額の譲受人等の第二次納税義務について定めた国税徴収法第39条の規定が設けられた趣旨

(2) 相続があった場合の滞納処分の効力

問2 (25点)

次の(1)及び(2)の問に答えなさい。

(1) 災害により財産に損失を受けた場合に適用され得る納税の猶予については、国税通則法第46条第1項及び第2項第1号にそれぞれ規定が設けられている。これらの規定に基づく納税の猶予の概要について簡潔に説明するとともに、その相違点を答えなさい。

なお、納税の猶予の効果については説明する必要はない。

(注) 解答に当たっては、国税通則法第46条第1項の納税の猶予を「1項猶予」と、同条第2項第1号の納税の猶予を「2項猶予」と省略して記載して差し支えない。

(2) 滞納者Xから絵画及び貴金属(以下「絵画等」という。)を預かっていたXの知人A宅に、Y税務署徴収職員が臨場した。Aは、徴収職員から、「あなたがXから預かっている絵画等について、Xの財産に対する滞納処分として差し押さえたいので、協力をお願いしたい。」と言われたが、「絵画等はXから預かっているものであり、Xの了承なく応じることはできない。」と答え、徴収職員の依頼に応じなかった。

この後、徴収職員が絵画等の差押えのために採るべき措置及び絵画等の差押えの効力発生時期を答えなさい。

問3 (20点)

次の(1)及び(2)について、納税者等の不動産が換価された場合の各債権に対する配当金額及び残余金の金額を、計算過程と根拠を示して答えなさい。

(注) 配当金額の計算に当たっては、利息、遅延損害金、延滞税及び延滞金について一切考慮する必要はない。

(1) 不動産の換価代金・・・・・・・ 2,000万円

直接の滞納処分費・・・・・・・ 10万円

A銀行の抵当権(令和2年6月3日設定登記)の被担保債権・・・・・・・・ 700万円

B税務署の差押え(令和4年1月15日登記)に係る国税(法定納期限等 令和3年3月15日)・・・・・・ 400万円

C銀行の抵当権(令和4年8月30日設定登記)の被担保債権・・・・・・・・ 600万円

D社の不動産保存の先取特権（令和4年12月1日登記）の被担保債権 … 100万円

E県参加差押え（令和5年5月25日登記）に係る地方税（法定納期限等　令和4年3月31日）…… 500万円

F市参加差押え（令和5年10月10日登記）に係る地方税（法定納期限等　令和元年12月20日）…… 300万円

⑵　不動産の換価代金 …… 2,000万円

A銀行の抵当権（令和4年8月31日設定登記）の被担保債権 …… 500万円

B銀行の抵当権（令和5年6月15日設定登記）の被担保債権 …… 400万円

C銀行の抵当権（令和5年9月15日設定登記）の被担保債権 …… 600万円

D銀行の抵当権（令和5年9月30日設定登記）の被担保債権 …… 300万円

E税務署の交付要求（令和5年12月13日）に係るXの国税（法定納期限等　令和5年5月31日）…… 700万円

　　（注1）　本件の不動産は、令和5年10月25日にXからYに譲渡されている。

　　（注2）　E税務署の交付要求は適法であるものとする。

［第二問］－40点－

　次の〔設例〕において、A社の滞納国税を徴収するため、国税徴収法上考えられる徴収方途及び徴収可能額について、その根拠を示して答えなさい。なお、土日、祝日等は考慮する必要はない。また、滞納処分費及び附帯税について考慮する必要はない。

〔設例〕

1　飲食業及び食料品製造業を営むA社（代表者Pが 100%株主である。）は、飲食業部門の事業を別会社に承継することを目的として、新たに株式会社B社（代表者はPの配偶者であるQ）を設立する会社分割（以下「本件新設分割」という。）を行うこととし、令和4年8月31日、本件新設分割に係る新設分割計画について株主総会の特別決議により承認を得た。

2　本件新設分割の内容は、おおむね次のとおりである。

①　B社が分割に際して発行する株式

　　B社は、本件新設分割に際して普通株式 100 株を発行し、その全部をA社に交付する。

②　承継する権利義務

　　A社の飲食業部門の事業に属する資産、債務、雇用契約その他の権利義務を承継する。

　　なお、B社に承継する具体的な資産及び債務の内容及び価額は以下のとおりである。

（資産）
　　　店舗土地　　　2,000 万円
　　　店舗建物　　　1,000 万円
　　　店舗備品　　　　500 万円
　　　売掛金　　　　　200 万円
　　（債務）
　　　買掛金　　　　　800 万円
　　　借入金　　　2,500 万円
　　　未払給与　　　　200 万円
　③　本件新設分割の効力発生日
　　令和 4 年 10 月 1 日

3　令和 5 年 3 月 1 日、A社は、B社の株式 100 株をPの長男R及び次男Sに、それぞれ 50 株ずつ譲渡した。なお、譲渡代金は各 200 万円（時価相当額は各 400 万円）である。

4　B社は、A社から引き継いだ飲食業を営んでいたものの、次第に業績が悪化したことにより廃業するに至り、令和 6 年 4 月 30 日、株主総会の特別決議により解散の決議がなされ、代表者であるQが清算人に選任された。

5　令和 6 年 7 月 1 日、Qは、B社の土地建物等の売却代金を原資として未払債務を弁済した後、その残額をR及びSに、各 300 万円ずつ分配した。

6　令和 6 年 7 月、A社はX税務署による税務調査を受け、同年 8 月 23 日に、令和 3 年 1 月 1 日から令和 3 年 12 月 31 日までの課税期間に係る消費税及び地方消費税について修正申告を行い、1,000 万円（内飲食業に係る金額 400 万円、食料品製造業に係る金額 600 万円）を納付すべきこととなったが、A社も廃業を予定しており、A社に滞納処分を執行することができる財産はない。

慣用句の使い方を押さえよう！

　法律の文章には、特別な意味をもって共通に用いられる「慣用句」というものがあり、難しい専門用語が並ぶ条文を理解するためには、これらの共通に用いられる言葉を理解できていないと正確な読み取りができなくなってしまいます。

　以下に出てくる言葉は、頻繁に出てくる慣用句ですので、正確に押さえましょう。

1.「及び」と「並びに」

　ともに**併合的な複数のものを併記**する場合に用います。英語でいうところの「and」に該当します。

①「及び」

　2者の単純な併記である場合には「**A及びB**」となり、3者以上を併記する場合には「**A、B及びC**」といったように併記するものを「、」でつなげ列挙し、最後のものの前に「及び」をつけます。

②「並びに」

　併合が2段階になる場合に、**小さい接続に「及び」を用い、「及び」でつながれた選択肢を大きい選択肢と併合する場合に「並びに」**を用います。

　（例…国税**及び**地方税**並びに**私債権に充てるべき…）

　なお、段階的な比較がない場合には「及び」のみを用い、「並びに」は使用しないので注意しましょう。

2.「又は」と「若しくは」

　ともに**選択的な複数のものを併記**する場合に用います。英語でいうところの「or」に該当します。

①「又は」

　2者の単純な選択である場合には「**A又はB**」となり、3者以上を併記する場合には「**A、B又はC**」といったように併記するものを「、」でつなげ列挙し、最後のものの前に「又は」をつけます。

②「若しくは」

　選択が2段階になる場合に、**小さい接続に「若しくは」を用い、「若しくは」でつながれた選択肢を大きい選択肢と比較する場合に「又は」**を用います。

　（例…更正通知書、**若しくは**決定通知書、**又は**納税告知書を発した日…）

　なお、段階的な比較がない場合には「又は」のみを用い、「若しくは」は使用しないので注意しましょう。

3.「場合」と「とき」

　　ともに**条件を示す**場合に用います。

　①「場合」

　　　前提条件が１つの場合には、「場合」を用います。

　　（例…その譲渡が滞納に係る国税の法定納期限より一年以上前にされている**場合**は、この限りではない。）

　②「とき」

　　　前提条件が２つ以上の場合には、**大きな条件を「場合」、小さな条件を「とき」**とそれぞれ用います。

　　（例…差押をした**場合において**〜他の国税又は地方税の交付要求があった**ときは**〜）

　※　なお、「時」と漢字で記載されている場合には、「一定時点」を指すこととなるので、「とき」との使い分けに注意が必要です。

4.「みなす」と「とする」

　①「みなす」

　　　ある事物と**異なる事物を一定の法律関係において同一視し、同じ法律効果を生**じさせる場合に用います。

　　（例…その支払前にその差押をしたものと**みなす**。）

　②「とする」

　　　①と異なり、**本来そのように取り扱う性質を十分に兼ね備えている場合**において、制度としてそのようにするというときに用います。

　　（例…国税の納税義務の適正な実現を通じて国税収入を確保することを目的**とする**。）

5.「者」、「物」、「もの」

　①「者」

　　　法律上の**人格を有するものを表す場合**に用いる言葉で、「自然人」と「法人」を表します。なお、法律上の人格を有しない「人格のない社団等」は含みません。

　②「物」

　　　法律上の人格を有するもの以外の**有体物を指す場合**に用います。

　③「もの」

　　　「者」や「物」で表現できない**抽象的なものを指す場合**や英語でいう**関係代名詞のように先行する用語を受けて、さらに限定するような場合「〜で、〜もの」**という形で用います。

・・・・・・Memorandum Sheet・・・・・

・・・・・・*Memorandum Sheet*・・・・・・

2025年度版　ネットスクール出版

税理士試験教材のラインナップ

● 税理士試験に合格するためのメイン教材

税理士試験教科書・問題集・理論集

ネットスクール税理士WEB講座の講師陣が自ら「確実に合格できる教材づくり」をコンセプトに執筆・監修した教材です。

税理士試験の合格に必要な内容を効率よく、かつ、挫折しないように工夫した『教科書』、計算力を身に付ける『問題集』、理論問題対策の『理論集』から構成されており、どの科目の教材も、豊富な図解と受験生がつまずきやすいポイントを押さえた、ネットスクール税理士WEB講座でも使用している教材です。

簿記論・財務諸表論の教材

税理士試験教科書	簿記論・財務諸表論I	基礎導入編【2025年度版】	3,630円（税込）	好評発売中
税理士試験問題集	簿記論・財務諸表論I	基礎導入編【2025年度版】	3,300円（税込）	好評発売中
税理士試験教科書	簿記論・財務諸表論II	基礎完成編【2025年度版】	3,630円（税込）	好評発売中
税理士試験問題集	簿記論・財務諸表論II	基礎完成編【2025年度版】	3,300円（税込）	好評発売中
税理士試験教科書	簿記論・財務諸表論III	応用編【2025年度版】	2024年11月発売	
税理士試験問題集	簿記論・財務諸表論III	応用編【2025年度版】	2024年11月発売	
税理士試験教科書	財務諸表論　理論編【2025年度版】		2024年12月発売	

☆簿記論・財務諸表論の方はこちらもオススメ！☆

穂坂式 つながる会計理論

税理士 財務諸表論 穂坂式 つながる会計理論【第2版】	2,640円（税込）	好評発売中

過去問ヨコ解き問題集

税理士試験過去問ヨコ解き問題集 簿記論【第3版】	3,740円（税込）	好評発売中
税理士試験過去問ヨコ解き問題集 財務諸表論【第5版】	3,740円（税込）	好評発売中

● 試験前の総仕上げには必須のアイテム！

ラストスパート模試　　毎年5〜6月ごろ発売予定

試験直前期は、出題予想に基づいた『ラストスパート模試』で総仕上げ！
全3回分の本試験さながらの模擬試験を収載。
分かりやすい解説とともに直前期の得点力UPをサポートします。
※ 画像や内容は2024年度版をベースにしたものです。変更となる場合もございます。

● 税理士試験の学習を本格的に始める前に…

知識ゼロでも大丈夫！ 税理士試験のための簿記入門
税理士試験向けの独自の内容で簿記の基本が学習できる1冊です。
本書を読むことで、税理士試験の簿記論に直結した基礎学習が可能なので、簿記の学習経験が無い方や基礎が不安な方にオススメです。
2,640円（税込）好評発売中！

法人税法の教材

税理士試験教科書・問題集　法人税法Ⅰ　基礎導入編【2025年度版】	3,300円（税込）	好評発売中
税理士試験教科書　法人税法Ⅱ　基礎完成編【2025年度版】	3,630円（税込）	好評発売中
税理士試験問題集　法人税法Ⅱ　基礎完成編【2025年度版】	3,300円（税込）	好評発売中
税理士試験教科書　法人税法Ⅲ　応用編【2025年度版】	2024年12月発売	
税理士試験問題集　法人税法Ⅲ　応用編【2025年度版】	2024年12月発売	
税理士試験理論集　法人税法【2025年度版】	2,420円（税込）	好評発売中

相続税法の教材

税理士試験教科書・問題集　相続税法Ⅰ　基礎導入編【2025年度版】	3,300円（税込）	好評発売中
税理士試験教科書　相続税法Ⅱ　基礎完成編【2025年度版】	3,630円（税込）	好評発売中
税理士試験問題集　相続税法Ⅱ　基礎完成編【2025年度版】	3,300円（税込）	好評発売中
税理士試験教科書　相続税法Ⅲ　応用編【2025年度版】	2024年12月発売	
税理士試験問題集　相続税法Ⅲ　応用編【2025年度版】	2024年12月発売	
税理士試験理論集　相続税法【2025年度版】	2,420円（税込）	好評発売中

消費税法の教材

税理士試験教科書・問題集　消費税法Ⅰ　基礎導入編【2025年度版】	3,300円（税込）	好評発売中
税理士試験教科書　消費税法Ⅱ　基礎完成編【2025年度版】	3,630円（税込）	好評発売中
税理士試験問題集　消費税法Ⅱ　基礎完成編【2025年度版】	3,300円（税込）	好評発売中
税理士試験教科書　消費税法Ⅲ　応用編【2025年度版】	2024年12月発売	
税理士試験問題集　消費税法Ⅲ　応用編【2025年度版】	2024年12月発売	
税理士試験理論集　消費税法【2025年度版】	2,420円（税込）	好評発売中

国税徴収法の教材

税理士試験教科書　国税徴収法【2025年度版】	4,620円（税込）	好評発売中
税理士試験理論集　国税徴収法【2025年度版】	2,420円（税込）	好評発売中

書籍のお求めは全国の書店・インターネット書店、またはネットスクールWEB-SHOPをご利用ください。

ネットスクール WEB-SHOP

https://www.net-school.jp/

ネットスクール WEB-SHOP　検索

※ 書名・価格・発行年月は変更する場合もございますので、予めご了承ください。(2024年9月現在)

本書の発行後に公表された法令等及び試験制度の改正情報、並びに判明した誤りに関する訂正情報については、弊社WEBサイト内の『読者の方へ』にてご案内しておりますので、ご確認下さい。

https://www.net-school.co.jp/

なお、万が一、誤りではないかと思われる箇所のうち、弊社WEBサイトにて掲載がないものにつきましては、**書名（ＩＳＢＮコード）と誤りと思われる内容**のほか、お客様の**お名前**及び**郵送の場合はご返送先の郵便番号とご住所**を明記の上、弊社まで**郵送またはe‐mail**にてお問い合わせ下さい。

＜郵送先＞ 〒101−0054
東京都千代田区神田錦町3−23メットライフ神田錦町ビル3階
ネットスクール株式会社 正誤問い合わせ係

＜e‐mail＞ seisaku@net-school.co.jp

※正誤に関するもの以外のご質問、本書に関係のないご質問にはお答えできません。
※お電話によるお問い合わせはお受けできません。ご了承下さい。

税理士試験 理論集

国税徴収法 【2025年度版】

2024年9月12日 初版 第1刷

著　　　　者　ネットスクール株式会社

発　行　者　桑原知之

発　行　所　ネットスクール株式会社　出版本部

〒101−0054　東京都千代田区神田錦町3−23
電　話　03 (6823) 6458 (営業)
ＦＡＸ　03 (3294) 9595
https://www.net-school.co.jp

執筆総指揮　堀川洋

表紙デザイン　株式会社オセロ

編　　　　集　吉川史織　加藤由季

ＤＴＰ制作　中嶋典子　石川祐子　吉永絢子
有限会社ドアーズ本舎　長谷川正晴

印刷・製本　倉敷印刷株式会社

©Net-School 2024　　Printed in Japan　　ISBN 978-4-7810-3829-2

落丁・乱丁本はお取り替えいたします。